Geoffrey & Vicente
「FLESH & BLOOD①」

「置いていくのは忍びないが、こうなっては仕方がない。血も涙もないイングランドの海賊どもがおまえにどんな仕打ちをするか判らんが、あまり酷い目に遭わされないことを祈っている。縁が……そう、縁があれば、また逢おう」
彼は言い終わると、カイトの頬をそっと撫でた。
（本文P.107より）

FLESH&BLOOD①

松岡なつき

キャラ文庫

この作品はフィクションです。
実在の人物・団体・事件などにはいっさい関係ありません。

目次

口絵・本文イラスト／雪舟 薫

1

風が強いに違いない。

地名を聞いたときから、東郷海斗《とうごうかいと》は漠然と思っていた。四方にばらける髪。はためくアロハシャツの裾《すそ》。腿《もも》にぴたりと張りつくジーンズ。吹きつけてくる膨大な空気の流れに真っすぐ顔を上げることもできず、足元を掬《すく》われ、どこかに飛ばされてしまわないようにひたすら膝《ひざ》に力を込めて歩きながら、海斗は自分の予想が当たっていたことに満足する。七月の空は晴れ渡り、風の勢いも相俟《あいま》って、雲一つ見えなかった。十七歳の夏休み。その素晴らしさを暗示するような一日の始まりだ。

「な〜んもねぇな」

ランズ・エンド——イングランド南西部、コーンウォール半島の先端にある『地の果て』と名付けられた崖《がけ》の上に立った海斗は、緩くカーブを描く水平線を見つめながら呟《つぶや》いた。

そう、ここには何もない。痩《や》せた土地にしがみついて生きていけるのは逞《たくま》しいヒースだけだ。海斗は思った。昔の人々は力強く海原へ飛び立っていくカモメを見て、自分も船出しようと決意したのではないだろうか。陸の暮らしは行き詰まっていた。けれど、海には可能性が残されている。彼らは切り立った岩の上で、海斗のように水平線を見ていたに違いない。あの空の蒼《あお》と海の青が溶け合う彼方《かなた》には『何か』がある。そう信じて、冒険の旅に出て行ったのだ。

（胸に張った帆を、はち切れそうな夢で膨らませてさ）

海斗は彼らの気持ちが判《わか》るような気がした。もし、自分が同じ立場なら、やはり船に乗っただろう。そして、胸をときめかせながら、新しい世界を見つけに行ったに違いない。

だが、彼のわくわくするような気分は長く続かなかった。つい、夢中になって身を乗り出し、崖の下を見てしまったからだ。

（やべ……）

そのまま海に墜落してしまいそうな錯覚に捉《とら》われて、海斗は慌てて後退《あとじさ》りをする。彼は軽度の高所恐怖症だった。高層ビルの展望台から下を見る程度なら平気だが、金網など周囲に身を守るものが何もないと不安で居ても立ってもいられなくなる。ふいに足元が崩れ落ち、空中にふわっと投げ出されるときのスリル――実際に体験したことがないはずの感覚が、なぜかリアルに身に迫ってきて、恐ろしくなるのだ。

（心臓バクバク。冷汗ダラダラ。足もガクガク。情けねえけど、自分じゃどうしようもないんだよな）

そんな自分の状態を友人に気づかれたのではないかと思って、海斗はこっそり隣を窺《うかが》った。

だが、横を向いた途端、染めたばかりの赤い髪が風に流されるまま目を突き刺し、口の中にまで飛び込んできたので、慌てて顔を戻す。

「っ……ぷ……くそっ……目が潰《つぶ》れる……っ」

ちゃんと髪を押さえて、改めて振り向いた海斗は、辺りの景色を淡々とカメラに収めている連れに聞いた。

「なあ、こんなとこ撮って、どうすんの？　崖と水平線しか見えねーじゃん」

「記念だよ」

森崎和哉《もりさきかずや》は微笑を浮かべ、もう一度シャッターを押した。

「グレート・ブリテン最西端の岬に来た記念」

それはいつものように穏やかで、どこか海斗を苛立《いらだ》たせる表情だった。海斗は僅《わず》かに口角を上げることのみによって作られる和哉の控えめな笑顔を見ていると、さして笑いたくもないが、他にどんな顔をすればいいのか判らないので、とりあえず笑っているという投げ遣《なや》りな感じを覚えるのだ。

（だいたい、今のって笑うような場面か？　もし、俺が「物好きだな」みたいなことを言われたら、絶対ムカついて、「うるせー、俺の勝手だろ」って言い返してるよ）

海斗は確信していた。本当は和哉も『余計なお世話だ』と思っている。それでいて反論しようとしないのは、できない理由が存在するからだ。二人にはどうすることもできない理由が。

だから、海斗も和哉の曖昧《あいまい》な態度を責める訳にはいかなかった。彼にできることといえば、これまでと同じように何も気づかなかったフリをして、当たり障りのない話題に転じるぐらいだ。

「記念なら、自分も一緒に写れば？　俺、撮ってやろうか？　めくっても、めくっても、景色ばっかのアルバムなんかつまんねえよ」

海斗の申し出に、和哉はまた笑みを洩《も》らす。先程に比べて困惑気味に。

「いいんだ。自分の顔なんて、あんまり見たくない」

「なんで？」

「不細工だから、わざわざ写す価値なんてないでしょ」

海斗は思いがけない言葉に驚いた。これまで彼は一度たりとも和哉のことを不細工だなどと思ったことがない。染めたり、脱色したことがないストレートの黒髪。五月人形のようにキリッとした眉《まゆ》や切れ長の瞳《ひとみ》。だが、口元は一転して優しさを感じさせる。確かに『美しい』とか、『華麗な』という形容は当てはまらないかもしれないが、充分整った顔立ちの持ち主ではないか。

「あんま、卑下しすぎるってのもイヤミだぜ」

海斗が言うと、和哉はTシャツの裾でレンズについた埃《ほこり》を拭《ふ》きながら答えた。

「言葉が悪かったかな。そんなつもりじゃなかったんだ。単に僕はポートレートより風景写真を撮る方が好きなんだよ。自然の美しさにかなうものなんてないって思ってるから」

海斗は納得した。

「ああ、そういう意味」

和哉はカメラを海斗の方に向け、ファインダーを覗《のぞ》き込んだ。

「僕は遠慮するけど、海斗を写してあげるよ。夏の思い出に」

「最高の一枚にしろよ」

海斗は歯を剝《む》き出して笑ってみせた。

「どう、このハリウッド・スマイル?」

「悪くないよ。笑顔の写真を撮りたかったら、俳優の真似《まね》をするのは正解なんだ。彼らはプロだから、どうすればカメラ映りがいいか知ってる。綺麗《きれい》に撮ってもらいたかったら、今みたいにはっきり歯を見せなくちゃ」

シャッター音を追いかけるように、海斗は苦笑した。

「そんなマジに返すなって。単なる冗談なんだからさ。こっちがリアクションに困っちまうだろ?」

和哉は一瞬、表情を凍らせると、ゆっくりカメラを下ろした。

「ごめん」

「別に謝るようなことじゃねーけどさ……」

「うん」

もはや笑顔の仮面すらつけることができない和哉を見ていられなくて、海斗も顔を背けた。そして、臍《ほぞ》を噛《か》む。和哉を傷つけるつもりなど、これっぽっちもなかったのに。

(気をつけねーとな。俺は軽口のつもりでも、こいつはそんな風に思えないんだから……)

またもや自分達の複雑な関係を思い知らされる羽目に陥った海斗は、和哉に聞こえないように溜《た》め息《いき》をついた。

共に父親の仕事の都合で渡英してきた二人は、日本の小学校課程に当たるプレパラトリー・スクールからの腐れ縁だ。今もロンドン郊外にある私立寄宿学校『セント・クリストファー』の高等教育検定試験《GCE-Aレベル》受験組で机を並べている。だから、互いに相手の気性は嫌というほど判っていた。

(和哉は生真面目《きまじめ》で、ジョークも滅多《めった》に言わない。特に、俺を馬鹿にするようなことは絶対に口にしない。なぜって、気兼ねしてるからだ。俺が支社長の息子で、和哉は部長の息子だから……)

ふと胸の痛みを覚えて、海斗は顔を顰《しか》める。仲良く一緒に休暇を過ごしているくせに、二人は友達ですらない。では、自分達はどんな関係なのだろうか——長年、彼を苦しめてきた残酷な事実と疑問が、海斗の心の中で吹き荒れていた。

一九九〇年代の初め、日本のバブル経済が突如として崩壊した後、二人の父親が勤めている三舛《みつます》商事は経営の抜本的な見直しを図り、海外支社の規模を縮小することを決定した。その手始めとして、まず人事が刷新されたのである。

ロンドン支社では、ここ数年来、営業目標を達成できなかった前支社長が日本に呼び戻され、本社に適当なポストがないことを理由に子会社に出向させられる一方、取締役の中で最も若く、やり手との評判も高かった海斗の父親、東郷洋介《ようすけ》がトップとして送り込まれた。そして、彼の懐《ふところがたな》刀である和哉の父、森崎公志《こうし》も営業統括部長として、皮一枚で首が繋《つな》がった副支社長に次ぐポストを占めた。

改革の第一歩として、洋介は徹底した実力主義を導入した。本社の意向におとなしく従っていさえすれば給料はもらえるし、運良く上司のお気に入りになったら帰国後の出世も約束されたようなものという、ロンドン支社に蔓延《はびこ》っていた悪習を断ち切るためだ。

洋介は自分の考えを持たず、積極的に動くこともできない社員を明らかに冷遇した。それは管理職も例外ではない。急激に変化したシステムについていけない者は戦々恐々としていたが、これまで年功序列の壁に阻まれ、思うように活躍できなかった若手社員は、ピリッと引き締まった空気を歓迎し、大いに意気を上げていた。人間、自分の利益になるということがハッキリしていれば、努力を厭《いと》わないものだ。

変化はゆっくりと、しかし、確実に訪れた。洋介がオフィスを取り仕切るようになってから、ロンドン支社の営業成績は少しずつではあるが、再び上昇に転じるようになった。厳命を果たした洋介も、これでますます本社の覚えがめでたくなり、万々歳というところだろう。

だが、情況が好転したのはオフィスの内部だけ――男の世界だけだった。駐在員の家族は、未《いま》だ旧態依然とした序列に縛られていたのだ。女達の世界はあくまでも保守的だった。いや、保守的であることを、自ら望んだと言えるかもしれない。

海斗は唇を皮肉っぽく歪《ゆが》めた。

(うちのババアなんか、勝ち誇ったように言ってたもんな。「外国の日本人社会は社宅と同じよ、夫の肩書きが妻の力関係を決めるのよ」ってさ)

つまり、大手商社の支社長を夫に持つ海斗の母、友恵《ともえ》は『駐在員マダム・ヒエラルキー』の頂点に立っているという訳だ。

友恵は自分に与えられた身分と権力を享受することに、何の疑問も不満も抱いていなかった。むしろ、歴代の英国支社長夫人の誰よりも、序列を守ることに熱心だったかもしれない。彼女は自分と同じクラスの女性にしか友情を示さず、部下の妻達のことは呼べばすぐに駆けつけてくるメイドのような存在と思っていた。実際、個人的に開くパーティーの準備を手伝わせたり、買物に行くときに運転手の代わりをさせたりもしていたのだ。

「主人がインドネシア支社にいたときは、私も支社長夫人のお手伝いをよくしたものよ。レセプションやら何やらで忙しいことは判っているから、ちょっと気を利かせたわけ。おかげで、主人ともども目をかけて頂いたわ。そういう内助の功って、意外と馬鹿にできないのよ」

それが友恵の口癖だった。部下の夫人達もそんな話を聞かされた後では、友恵の頼みを拒絶することなどできなかっただろう。

（よく言うぜ……！）

海斗は確信していた。確かに、そのインドネシアの支社長夫人も公私混同するタイプだったのかもしれない。だが、友恵ほど図々しくはなかったはずだ。彼女が進んで他人に尽くしたというのも眉唾《まゆつば》だった。高慢ちきな友恵が、そんな殊勝な真似をするはずがない。たぶん、それも自分の行為を正当化するための嘘《うそ》なのだ。

（これほどイケ好かない女の腹から生まれたと思うと、切なくて泣けてくるね）

有り余るほどの権勢欲のためか、友恵は想像力が欠落しているようで、自分の行為が息子を恥じ入らせているとは微塵《みじん》も思いつかないらしい。

友恵が心から大切に思うのは自分自身だけ。何より優先されるのは己れの立場やプライドを守ることだった。そのためには他人の自尊心も平気で踏みつけにする。

（俺なんか、人間扱いもされてねーもんな。あいつにとっちゃ、付属物も同然。まだ、臍《へそ》の緒《お》で繋がってるような気分でいやがるんだ）

母親の影響下から一刻も早く抜け出したいと願っている海斗にとっては不幸なことに、彼は友恵の『お気に入りの息子』だった。

海斗が上手にピアノを弾いたり、まあまあの絵を描いたりすると、友恵はその芸術的才能を彼に伝えたのは自分に違いないと主張する。

テストで良い点を取れば、「やっぱり、母親がお尻《しり》を叩《たた》くと違うわね」などと、まことしやかに同級生の母親達に触れ回る。

全ては友恵の手柄であって、海斗が自主的に勉強したことや、熱心に楽器を練習したことは決して認めようとしない。

(優れているのは私。素晴らしいのは私。称賛されるべきは私。わたし。わたし。ワタシ!ああなると、もうビョーキだ)

だが、我慢ならないのは母親だけではない。妻の横暴な振る舞いを知っているくせに、少しもたしなめようとしない父の無神経さも、海斗は許せなかった。世界を相手にする仕事だけが生甲斐《いきがい》で、出世することしか興味がない洋介には、くだらない女子供の世界に関わる暇などないのだろう。

それが海斗のかけがえのない両親の姿だった。

どんなに認めたくなくても、その事実を覆すことはできない。

そして、彼がいくら両親と自分は無関係だと訴えても、血の繋がりがある以上、例の愚かなヒエラルキーから逃れることもできなかった。

海斗は唇を嚙み締める。

（ババアの周りにいる人間は、あいつのご機嫌を損ねないように細心の注意を払ってるんだ。不興を買ったら、『不思議の国のアリス』に登場する残酷なハートの女王様のように、あいつが自分の首を刎《は》ねるんじゃないかって思ってるから……）

当然、彼女達は友恵の『物』である海斗にも、おそるおそる接していた。海斗に怪我《けが》をさせたり、苛《いじ》めて泣かせたりしたことが友恵の耳に入ったら、それこそ身の破滅だ。だから、母親達は我が子に「海斗君と仲良くしてね。オモチャとか、海斗君が好きなものは貸してあげなさい。そうしてくれないとママが困るの」と言い聞かせていたらしい。

そうなると、大人の事情など判らない子は、何だか面倒な海斗をさけるようになるし、健気《けなげ》にも親の気持ちを汲《く》んだ子は、ひたすら海斗につき従うイエスマンになってしまう。

（そう、和哉みたいにな）

おかげで、海斗は心を許せる友達ができなかった。誰かと本音で語り合ったことも、本気でケンカしたこともない。どんなマヌケな真似をしたって、見て見ぬフリだった。彼らは疑っていたに違いない。もし、笑ってしまったら、海斗が友恵に告げ口するのではないかと。そんな卑怯《ひきょう》な人間に見られていたのかと思うと、海斗は悔しかった。けれど、「絶対にそんなことはしない」と誓っても、彼らは信じてくれないだろう。いや、信じてくれたとしても、事情は何も変わらない。

（くそ……っ！）

海斗は激しい苛立ちに襲われる。誰からも特別扱いなんてされたくない。母のお気に入りになど、なりたくなかった。しかし、物事はことごとく彼の意志や希望を無視して運ばれていく。そもそも友恵が海斗に執着するのも、彼の顔が自分に似ているからという、海斗本人にはどうすることもできない理由のためだった。

「まず、目元がそっくりよね。大きくて、黒目がちで、睫毛《まつげ》も長くて。鼻が高いのも私譲り。歯並びも主人に似たら最悪だけど、とっても綺麗よ。赤ちゃんの頃は唇がピンクだったから、よく女の子に間違えられたの。でも、私は男の子で良かったわ。娘だったら嫉妬《しっと》しちゃうもの。どうしたって、私より若いんだから。その点、息子はいくらハンサムだって、競争相手にはならないでしょ?」

友恵が誰かれ構わず、そんな話をしている姿を見ると、海斗は虫酸《むしず》が走った。よくよく聞けば、結局、彼女は息子に託《かこつ》けて、自分自身を讃《たた》えているに過ぎない。

傲慢《ごうまん》な人間にありがちなことだが、友恵はナルシストだった。東郷夫妻にはもう一人の息子――ロンドン赴任後に生まれた洋明《ひろあき》がいるが、夫の洋介に似ているため、友恵はほとんど興味を示さない。それもまた、海斗にとっては耐え難いことだった。一心に友恵を慕う幼い弟を見ていると、海斗自身が望んだことではなくても、母親の愛情を奪っているように思えて、自己嫌悪に陥ってしまう。また、洋明も敏感に兄が贔屓《ひいき》されていることを感じ取って、敵意を向けてくるのも辛《つら》かった。

「俺のことは、もう放っておいてくれよ！」

思春期を迎えた頃から、海斗は友恵に愛想尽かしをさせようと、色々と問題を起こしてみたこともある。だが、効果はなかった。

「そんなこと、できる訳ないじゃない」

友恵は『慈愛に満ちている』と信じている笑みを浮かべ、猫撫《な》で声で言ったものだ。

「そりゃ、教室で煙草《たばこ》を吸ったり、髪を真っ赤に染めたり、寮を抜け出して無断外泊したりするのはいけないことよ。でも、男の子なんだから、少しくらいやんちゃなのは仕方ないわよね。私も学校に呼び出されて、先生に怒られるのは嫌だけど、それぐらいで海斗のことを見捨てたりしない。ハンサムで、頭がいい、ママの自慢の息子だもの」

暖簾《のれん》に腕押しだ。海斗にはもう言うべき言葉も見つからなかった。友恵の目には、見たいと思うものしか映らない。海斗の気持ちなど、知ったことではない。彼女は自分が愛したいように愛するのだから。


「……っ」

海斗は和哉に気づかれないように、そっと溜め息をついた。子供は親を選べない。恵まれた生活をさせてもらっていることは知っているし、感謝もしているが、ときどき彼は別の人生を送っている自分を夢見ることがある。裕福ではないが愛情に満ち溢《あふ》れた両親の下で、穏やかに毎日を過ごしている自分を。彼は家族と一緒にいても寛《くつろ》げるどころか、居心地の悪さばかりを感じる。どうにも家庭の空気に馴染《なじ》めなかった。自分のいるべき場所はここではないのではないかという違和感を拭《ぬぐ》うことができないのだ。

（いっそ一人になりたい。その方が気楽だ……）

疲労感を覚え、頭を押さえていた手を下ろすと、海斗の瞳に再び髪の毛が飛び込んでくる。継続する苦痛。異物を排出しようとして溢れる涙が、油断した隙《すき》に感情の垂れ流しになってしまいそうで、海斗は気を引き締めた。我慢――そう、あと少しの辛抱だ。学校を卒業して、就職すれば、独立できる。親がかりの暮らしをしているから、友恵に干渉されるのだ。自分で稼げるようになれば、どこへだって行けるし、本当に気の合う奴らと面白おかしく暮らせるだろう。

（寄宿校に行けって言われたときは、何で俺がそんな不便な生活しなきゃならないんだ、冗談じゃねえって思ったけど、今にして思えば助かった。四六時中、ババアと顔を合わせてたら、こっちの頭がおかしくなる）

セント・クリストファーはあらゆる国の子弟が集まるインターナショナル校で、生徒の生活習慣も多種多様だったから、寮生活の中で時に居心地の悪さを感じたとしてもお互い様だった。それに外国人の友達なら、親のことなど関係なく、海斗と付き合ってくれる。よく一緒に悪さを働くのはオーストラリア生まれの陽気なファーディ、英領ジブラルタル出身のお洒落《しゃれ》なカルロス、日本贔屓のトルコ人ケマルで、海斗は三人のことが好きだった。だが、『親友』と呼ぶことは躊躇《ためら》われる。そこまで深い心の交流があるとは思えなかったからだ。

(他愛ない話ならいくらでもできるけど、悩み事とか言う気になれないっていうか……たぶん、鬱陶《うっとう》しがられるのが嫌なんだな。俺の意識しすぎなのかもしれないけど)

海斗にとって唯一の誤算は、和哉が入学してきたことだった。星の数ほどある学校の中で、なぜ、彼はセント・クリストファーを選んだのか。海斗はそのことが気にかかっていた。プレパラトリー・スクールの頃から頭脳明晰《めいせき》を謳《うた》われていた和哉なら、もっと学力ランクの高い学校にも行けたような気がするのに。

(もしかしたら、ババアが和哉のお母さんに無理を言って、俺のお目付け役として送り込んできたとか……)

ありそうな話で、海斗はゾッとする。和哉のためにも、自分のためにも、本当であって欲しくない。海斗は真相を知りたかったが、かといって、和哉を問い詰める気にはなれなかった。それに勇気を出して聞いても、「その通り。お目付け役だ」などと言われたらショックで立ち直れなくなりそうだ。結局、また何も知らないフリ、気づかなかったフリをするしかないのかと思って、海斗はうんざりした。

(人付き合いって距離感が大事だよな。誰にだって踏み込まれたくない部分はある。遠すぎず、近すぎず、お互いに心地よい空間がないと長続きしない。でも、自分でその距離を決められるんだったらいいけど、もっと近づきたいのに近づけないってのは寂しいよ）

海斗は横目で和哉を見る。すでに和哉の面《おもて》から傷心の色は消えていた。ただ、ボーッと海を眺めている。何を考えているのか、まったく判らない顔つきだ。こんなとき、海斗は他人の心が読めたらと思わずにはいられない。

「そろそろ行こうか？」

海斗が声をかけると、和哉は笑顔で振り返った。

「うん。暗くなる前にプリマスに着きたいし」

「泊まるとこも探さないと。休み中はB＆B《ベッド・アンド・ブレックファースト》もすぐに埋まっちまう」

「ホテルに泊まる余裕はないもんね」

「そう、そう。貧乏旅行だから」

彼に蟠《わだかま》りがないと知って、海斗は胸を撫で下ろす。和哉には嫌われたくなかった。たとえ、彼に心から好かれていないとしても。そう、最初は和哉の存在を鬱陶しく思っていた海斗も、寮で同室になり——大抵、肌の色が同じ者が一緒の部屋になるのだ——親しく付き合っていくうちに好意を抱くようになった。真面目な和哉がファーディ達との悪ふざけに加わることはないが、無断外泊が教師にバレそうになったときなど、困惑しながらも上手《うま》くごまかしてくれたりする。

（いい奴なんだ、ホント……）

和哉は聡明《そうめい》で、思いやりがあって、一緒にいてホッとできるタイプの人間だった。穏やかな性格をしているぶん、自分をアピールしたり、誰かと競争することを嫌う傾向がある。つまり、向こう気が強くて、負けず嫌いの海斗とは正反対の性格だ。

あまりにも自分と違う人間を前にすると、強い興味を感じるか、反感を抱くかのどちらかだという。

海斗の場合は前者だった。それに性格や考え方がかけ離れているといっても、そこは日本人同士だ。話せば判り合えるし、心的傾向が共通しているので、ある程度は言葉にしなくても察してもらうことができる。母国語が違う相手だと、これが非常に難しい。英語で喋《しゃべ》ることの方が多い海斗でも、微妙な感情のニュアンスを完璧《かんぺき》に言い表わすことはできなかった。

（メンタリティが同じっていうのはありがたいよな。和哉は聞き上手だし、こいつの話も面白い。でなきゃ、一緒に旅行しようなんて気にはなれないか）

これで和哉の父親が、洋介の部下でさえなかったら、生まれて初めて『親友』と呼べる存在になったかもしれない。海斗は微苦笑を洩らした。無い物ねだりだ。現状に満足するべきだということは判っていた。確かに、和哉は海斗に心を許していないのかもしれないが、少なくともそれを気づかせまいとする優しさがあるのだから。

「ねえ、君達」

バス停に向かおうとする海斗達に、その発音からアメリカ人と思われるカップルが声をかけてきた。

「良かったら、写真を撮ってもらえるかな?」

「いいですよ」

気のいい和哉が、彼らのポラロイド・カメラを受け取った。

カップルは『ニューヨークまで三一四七マイル』と書かれた里標の前で抱き合うと、さっき海斗がしてみせたような派手なスマイルを顔に張りつける。

「そのまま動かないで下さいね」

和哉はそう言いながらシャッターを押した。すぐに賑《にぎ》やかな音と共に感光した印画紙が排出口から出てくる。彼はそれを引き抜き、カップルの姿が浮かび上がってくるのを待った。

「うん……ちゃんと撮れてる」

几帳面《きちょうめん》な彼らしく、それを確かめた後で、和哉はカメラと写真をカップルに返した。

「これでいいですか?」

「ありがとう。ワーオ、最高の笑顔ね!」

「実物と同じぐらい綺麗だよ、ダーリン」

カップルは嬉《うれ》しそうに言い交わすと、再び和哉に向き直った。

「お礼にあなた達も撮ってあげる。ポラって、その場で渡せるからいいわよね。ほら、並んで、並んで！」

人の良さそうな女性がさっさとカメラを構えるのを見て、海斗は和哉と肩を組んだ。和哉も好意で言ってくれているのが判っているので、写されるのが嫌いでも断れなかったのだろう。おとなしく、されるがままになっていた。

「二人ともハンサムに写ってるわよ」

渡された写真を、海斗達は揃《そろ》って覗き込んだ。和哉は少し眩《まぶ》しそうな表情をしている。海斗は瞬きの途中だったらしく、眠そうな顔をしていた。まあ、ベストショットとは言い難いが、微笑《ほほえ》ましい一枚ではある。

恋人の肩を抱きながら、男が聞いた。

「僕らは先祖が住んでいたウェールズを回った後、ダートムーアの湿地でシャーロック・ホームズごっこをして、海岸線沿いにここまで来たんだ。君達は？」

「じゃ、反対のルートですね。俺達はこれからプリマスに向かうから」

海斗の返事に男は微笑んだ。

「いい所だったよ。英国国教会に迫害されていた清教徒が『メイフラワー号』に乗り、新天地アメリカへ船出して行った港だ。そのことは知ってるだろう？」

「ああ、歴史の授業で習いましたよ」

海斗にはあまり興味のない事柄だったが、もちろん、そんなことは噯気《おくび》にも出さないでおく。

「じゃ、君達も良い旅を」

「お二人も。写真をありがとうございます」

海斗達が礼を言うと、カップルは陽気に手を振って去っていった。

「これ、どうする？」

ポラロイド写真を指先に挟んで、海斗は聞いた。

案の定、和哉が言う。

「それも思い出の一枚にしたら？」

「じゃ、もらっとく」

海斗はジーンズの尻ポケットから財布を取り出すと、札入れにポラロイド写真を挟み込んだ。こうしておけば酷《ひど》い皺《しわ》がつくことはない。そして、財布を元の位置にしまってから、和哉に顔を向ける。

「よし、今度こそ、プリマスへ出発だ」

和哉が元気に右手を振り上げる。

「おーっ」

だが、再び歩きだした彼らは、いつの間にか停留所にバスが着いているのを知ってギョッとする。あれに乗り遅れてしまったら、また二時間以上も待たなくてはならない。

「わーっ、行かないで！」

「乗ります！　あと二人、乗せてっ！」

海斗達は口々に叫びながら、全速力で走っていった。

ペンザンスからプリマスは、英国鉄道ご自慢の特急『インターシティ125』で二時間弱の距離だ。

電車やバスに乗ると眠くなる質《たち》の和哉は、すでに眠りに落ちて久しい。

「あー、マジぃ。ここまで激マズだと、いっそ感動するよな……」

海斗は車内販売で買ったサンドウィッチを食べては顔を顰め、ぬるくなった紅茶で口を濯《すす》ぎながら、ガイドブックを読んでいた。

今回の旅のテーマは『女王陛下の海賊を追って』だ。まずロンドンから最西端のペンザンスまで一気に行き、そこからプリマス、ボーンマス、サウサンプトン、ポーツマスと南西部の港を巡ることにしている。

そもそも旅行の契機を作ったのは英国史の授業だった。

「イングランドで宗教改革が始まり、ルネッサンスが興った十六世紀、この最も熱く、激しく、華々しかった時代を支配していたのは処女王と呼ばれたエリザベス一世だ」

歴史教師のミスター・フォックスは、いつになく熱心な口調で授業を進めていた。

「不義の罪を着せられた母親が処刑され、私生児として蔑《さげす》まれ、姉である女王メアリー一世に敵視され、常に命を危険にさらされていた彼女だが、即位後はウィリアム・セシルやフランシス・ウォルシンガムなどの有能な閣僚に支えられ、我が祖国をヨーロッパの離れ小島から世界に冠たる大帝国にする礎《いしずえ》を築いてくれた。また演劇などの文化も振興させて、人心を豊かにすることにも努めたんだ。そんな彼女を当時の民衆は『良き女王ベス』と言って崇《あが》めたものだよ」

そう言うフォックス先生こそ、エリザベス一世の大ファンのようだと、海斗は思った。

「彼女の治世には様々な事件が起こったが、やはりクライマックスは無敵艦隊の撃破だろうね。レパントの海戦の勝利で名を轟《とどろ》かせたスペインの大海軍に対し、当時の英国海軍は船舶の数も少なく、とても勝ち目はないものと思われていた。しかし、女王陛下の海賊達――彼女から『敵船拿捕許可状《だほ》』を貰《もら》い、スペインの商船を掠奪《りゃくだつ》しては財宝をエリザベスと山分けし、戦争に備えて国庫を潤していたジョン・ホーキンス、フランシス・ドレイク、トーマス・フロビッシャーら、勇敢な海の男達の活躍で強大な敵を斥《しりぞ》けることに成功したんだ」

すると、教室のあちこちから、英国人生徒の興奮したような声が上がった。

「ドレイク！　ガキの頃、彼みたいな海賊になりたい、絶対なるんだって思ってたよ」

「僕も！　アーサー・ランサムの本に出てくる子達みたいに、よくゴッコ遊びをしてさ」

「した、した！　俺は『宝島』ごっこだったな。ジョン・シルヴァーになりきって、片方の足で跳ね回ってた」

彼らの話を聞きながら、海斗は少し驚いていた。自分も同じようなことをしていたからだ。海を隔てていても、子供の遊びは変わらないのだろうか。海斗は隣の席に座っている和哉に聞いてみた。

「俺も幼稚園のとき、海賊ごっこと忍者ごっこをやってたな。おまえは？」

「やったよ。どっちかっていうと、海賊ごっこの方が好きだった」

「同感。忍者ごっこはお頭役をやるヤツが決まってて、そいつばっかりえばってたからつまんなかったんだ」

和哉が微笑《ほほえ》む。

「海賊にもお頭はいるけど、船の上じゃ、一応、平等ってことになってるもんね」

「楽しかったなー。あの頃は祖父《じい》さんがヨットを持ってたから、休みになると友達を連れてって、かなりその気になって遊んだんだ」

「いいなあ。僕も行きたかった」

本気で羨《うらや》ましそうな顔をした和哉は、ふと気づいたように言う。

「そうか、お祖父さんがヨットマンだったから、海斗やお父さんも海に因《ちな》んだ名前なんだ」

海斗は苦笑する。

「うん。でも、本物の海の男は祖父さんだけで、親父も俺も船の操縦はできねーの。祖父さんが死んですぐにヨットも手放しちゃったしな。もう少し長生きしてくれたら、乗り方を教えてもらったのに」

和哉は頷《うなず》き、それから感動の表情を浮かべた。

「ここはイングランドなんだよね。今まで考えたことなかったけど、本当にドレイク達がいた国なんだ」

「ああ……」

海斗もなんだか胸が熱くなってくる。海賊と同じくらい憧《あこが》れた仮面ライダーは現実にはいなかったけれど、『悪魔の竜』ことフランシス・ドレイクは確かに生きて、この国や世界の海を駆け巡っていたのだ。手の届かない存在と思っていた歴史上の人物が、ふいに身近に感じられて、海斗はわくわくした。

「な、ドレイクって、どこの港が本拠地だっけ？」

「プリマス。生まれはタビストックで、第二代ベッドフォード伯爵が名付け親だ」

海斗の問いに、和哉は即座に答えた。聞いていない事柄まで。どうやら彼の海賊好きも本物だ。英国史の授業とは関係なく、色々と調べていたに違いない。海斗はニヤリと笑い、そして言った。

「行ってみたいと思わない？」

和哉はまじまじと彼を見つめ、やはりニヤリと唇を歪めた。その瞬間、二人の夏休みの計画は決まったのだ。

(それからはアッという間だったな)

海斗は最後のパンの欠片《かけら》を何とか飲み込んで、微笑んだ。チューダー王朝の海賊達の暮らしぶりを調べたり、どこの港を訪れるかを相談しているうちに時は過ぎ去り、楽しい休暇を迎えた二人は、今やこうして旅の空にある。

(王立海軍博物館のあるポーツマスもいいし、太平洋航路の豪華客船が玄関口にしていたサウサンプトンも見てみたい。でも、やっぱりメインイベントはプリマスだよな)

海斗はガイドブックにつけた印に目を落とす。

子供の頃、ドレイクが家族と住んでいたというセント・ニコラス島——現在、その島は彼の名前を冠している。

生きて世界周航を成し遂げ、莫大《ばくだい》な財産を得た彼が、郊外に買った元僧院のバックランド・アビィ。

無敵艦隊が英国海峡に姿を現わしたとき、ドレイクがホーキンスや海軍将校達と『九柱戯《ナインピンズ》』というボウリングの一種をしていたという『ホーの丘《ザ・ホー》』。

七月十九日、ついにドレイクの乗船したリヴェンジ号がスペイン人めがけて出撃していったプリマス港。

海斗と和哉はその全てをじっくりと見て回り、少年時代を彩ってくれた偉大な偶像に想いを馳《は》せるつもりだった。

(今日は時間がないから、とりあえず近場を回ってみよう。ホーの丘とか、スミートン・タワーとか……)

海斗は腕時計を見た。あと十分ほどで目的地に到着だ。下車する段になって慌てるのは嫌なので、和哉を起こしておくことにする。

「おい、そろそろ着くぞ」

寝つきも寝起きもいい和哉は、声をかけるとすぐにパチッと瞼《まぶた》を開けた。そして、自分の顔を覗き込んでいる海斗を見つめ、息を飲む。

「あ……っ」

「なに？」

和哉は両手で顔を覆うと、安堵《あんど》したように呟いた。

「良かった……夢だ」

海斗は首を傾《かし》げる。

「どんな夢？」

「怒らない？」

「うん」

「二人で船に……ほら、観光用の帆船みたいなヤツがあるだろ？　あれに乗ってると、それが座礁したか何かで浸水しちゃうんだ。で、他の客達と一緒に救命ボートに移るんだけど、ふと、気づくと、海斗の姿だけ見えない」

「はぐれちまったの?」

「たぶん……僕が船員に探してくるって言うと、だめだ、もう間に合わない、って止められるんだ。でも、無理矢理ボートに乗せられて、帆船を離れた途端、おまえが甲板に現われてさ。置いていかないでくれって叫んで、手を振るんだよ。僕は振り返って、ボートを戻してくれって頼もうとするんだけど……」

和哉は溜め息をつく。

「そこには誰もいなかった」

「いない?」

「僕だけなんだ。煙か何かみたいに、僕を止めた船員や他の乗客達は消えてしまった。それで、とにかくボートの向きを変えようと思ってキャビンに行くと、なぜか舵輪《だりん》が外れてて、それもできない。どうしようって、パニクってたら、目が覚めた」

海斗は苦笑する。

「結局、置いてきぼりかよ。ひでー」

「すっごくリアルで怖かったから、起こしてもらって良かった。良かったけど……」

和哉は上目遣いで海斗を見た。

「現実と紙一重みたいな夢を見ると、いつも気になるんだ。あの続きは、一体どうなるんだろうって」

海斗は頷いた。

「あー、判る。ビデオとかと違って、夢の中の出来事は中断したら永久に闇《やみ》の中だもんな」

「でも、目覚めなければ見てたはずなんだから、脳のどこかには続きが残されてるんじゃないかなって思うんだ。そういうの、抽出する機械があればいいのに」

「『夢の続きを見せてあげます』って？ それこそ夢物語だよ」

和哉は釈然としない様子で聞いた。

「えー、気になるのって僕だけ？ 海斗は全然興味ない？」

「興味なくはないけど、おまえほどじゃないな。そりゃあ、スッゲェいい夢から引き戻されたら、『くそー』とか思うよ。でも、ま、所詮《しょせん》は幻だし、和哉と違って、俺は大人だから諦《あきら》めも早いんだ」

「ガキで悪かったね」

膨れっ面をする和哉を見て笑っていた海斗が、ふと思いついて言った。

「そういえば、俺もリアルな夢を見た後で、おかしなことを考えた経験があるよ」

「どんな？」

「俺が夢だって思って見ているのは、別の世界の俺の現実だったりして、って話」

和哉が身を乗り出した。

「面白そう。いわゆる並行宇宙みたいなもんだね」

「なに、それ?」

「よくSF小説とかで使われる設定だよ。僕らが一つだけと思っている世の中は、本当は無数にある。時間が五分だけ前に、あるいは後にずれている世界。第二次世界大戦後、アメリカではなくソヴィエトに占領されている日本がある世界。ヴァリエーションは色々だ」

海斗は意外だった。

「おまえ、SFとか好きなんだ?」

「『Xファイル』世代だもん」

「俺も見てるけど、本までは読まないな」

「もったいない。最高の娯楽なのに。まあ、ともかく、この世の上にあるのか、それとも下にあるかは知らないけど、僕とうり二つの『もう一人の僕』が生きている世界が無数に存在してるのが並行宇宙。判った?」

「なんとなく……」

和哉は海斗が頷くのを見て、さらに話を続ける。

「海斗が言ってたのは、普段は時空の壁に阻まれて行けない別の世界を、ぐっすり眠り込んで無意識の状態になったときに覗き見てるんじゃないかって話だろう? でも、お互い、それを夢だと思ってるから、相変わらず『もう一人の俺』の存在には気づかないままなんだよね？」

「ピンポーン。本当にそうだったら怖いと思わねえ？　フラフラ迷い込んでいるうちに戻れなくなったら、なんて考えたらさ」

「そうなったら、時空の迷子だね。この世に残ったのは肉体だけで、そのまま永遠に目覚めることはない……」

いやに冷静に言ってから、和哉は顔を顰めた。

「戻れないのは嫌だね。でも、向こうの方が楽しそうだったら、自主的に帰ってこないって手もあるか。もう一度、人生をやり直すために」

海斗はまじまじと彼を見つめた。

「今のこれって、やり直したい人生なの？　なんか、不満があるとか？」

和哉は肩を竦《すく》めた。

「耐えられないほどの不満とかはないけど……でも、続けてどうなるんだ、とも思うな。毎日、何が起こるでもなく、代わり映えしなくて、退屈だし。いっそ、何もかも捨てて、環境設定の違う場所に行ったら、新鮮な気持ちで暮らせそう」

海斗は溜め息をついた。今日は和哉に驚かされてばかりだ。

「何か……意外な一面だったな」

「そう？」

「和哉っておとなしそうに見えるけど、本当は俺なんかよりずっと過激なのかも。俺はそこまでスッパリ、この世を思い切れねーもん」

和哉は苦笑する。

「僕だって思い切れないよ。できればいいな、って話。これも夢物語の一つだよ。いざ、本当にそんな機会が訪れたとしても、色々しがらみがあって行けないと思うし」

「しがらみ、って?」

「家族とか、友達とか、僕が一緒にいたいと思って、向こうも離れたくないって思ってくれる人がいれば、どこにも行きたくなくなるでしょ」

その言葉を聞いた途端、海斗は皮肉っぽい表情を浮かべた。

「じゃ、俺にしがらみはないな。両思いの相手がいねーもん」

和哉は衝撃を受けたように海斗を見た。

「……え?」

「心が冷たいのかもしれないけど、あんまり家族と一緒にいたいって思わないし、俺のことを友達だって思ってくれる奴もいない」

「そ、そんなことな……」

海斗は静かに、だが、きっぱりと和哉の言葉を遮《さえぎ》った。

「あるよ。例えば、おまえが蒸発したとするじゃん? そうしたら、家族も、俺も必死になって探すだろ？　たぶん、見つかるまで諦めずに……諦めきれずに探し続けると思う。でも、俺にはそこまでしてくれる人はいない。ただの一人も思いつかないんだ」

絶句している和哉に、海斗は困ったような微笑みを向けた。

「悪い。俺こそ、リアクションに困るようなこと言ったな。忘れてくれ」

窓から見える空に、先程から雲が多くなってきていた。英国の天気は変わりやすいのだ。

そのとき、重苦しい沈黙を破るように、コンパートメントの外から車掌の声がした。

「……あと二分ほどでプリマスですよ。携帯品など、お忘れにならないようお気をつけ下さい。次の駅はプリマスです……」

海斗は立ち上がり、リュックを背負う。そして、まだ座ったままの和哉を振り返った。

「先にデッキに行ってるな」

和哉は目を逸《そ》らしたまま頷いた。

客車を出た海斗は拳骨で自分の頭を叩く。楽しい旅行気分を台無しにするようなことを口にした己れが許せなかった。

(どーして、黙っていられなかったんだよ？　あれじゃ、まるで和哉を責めてるみたいじゃないか)

後悔先に立たずだった。できれば、時を戻したい。そう、こんなときこそ和哉が言っていた『五分だけ前にずれている世界』に行けたらいいのに、と海斗は思わずにはいられなかった。

もし、この願いが叶《かな》うなら、二度とあんな卑屈な告白はしないだろう。そして、和哉にも気まずい思いはさせない。

「海斗」

和哉が追いついてきた。

海斗はさり気なさを装って、笑顔で迎える。

「なに？」

「僕が蒸発したら、おまえは探してくれるのに、どうして、おまえが蒸発したら、僕は探さないって思うんだよ？」

海斗は内心、溜め息をつく。真面目な和哉の辞書には、『なあなあで済ます』という言葉は存在しないようだ。となれば、とことんまで突き詰め、これまで良好だった二人の関係に決定的な亀裂《きれつ》が入るところまで行かなくてはならないのだろうか。

「言えよ！　何でだよ？」

和哉が責め続ける。

海斗は虚無感に襲われ、決して口にしてはならない一言を言ってしまった。

「父親の上司の息子じゃなかったら、おまえ、俺と友達になるか？」

和哉は目を見開き、ついで頬《ほお》を紅潮させた。だが、彼が何か言おうとした瞬間、列車が駅に進入するためにガクンとスピードを落とした。和哉はバランスを崩し、前のめりに倒れてしまいそうになる。

「危ね……っ！」

海斗は慌てて腕を伸ばし、彼を抱き留めた。

何とか踏み止まった和哉は、自分とほぼ同じ位置にある漆黒の眼を見つめる。そして、一歩下がって体勢を整えると、肘《ひじ》を引いた。そして、拳を握ると、それを海斗の頬に叩きつける。

「……っ！」

頬骨の辺りを殴られた海斗は、ヨロヨロと近くの壁に寄りかかった。さして力はこもっていなかったので、痛みは少ない。ただ、彼は驚いていたのだ。また、和哉の知らなかった一面を知ってしまった。

（和哉が……俺を殴った。あのおとなしい和哉が！）

当の和哉はパンチを喰らわせた方の拳を、もう一方の掌《てのひら》で押し包んでいた。慣れないことをしたせいで、自分の手を痛めてしまったらしい。

「悪い……大丈夫？」

海斗がおそるおそる声をかけると、和哉がキッと睨《にら》みつけてきた。

「殴ったのは僕なのに、なんで謝るんだよ？」

「なんか、そっちの方が痛そうだし……俺、顔の皮が硬いのかもな」

和哉は噛みついた。

「そうだよ！　おまえみたいなのを鉄面皮って言うんだ！　僕のことを何だと思ってる？」

「何って……」

海斗はその剣幕にしどろもどろになる。

「それすら判らない？　おまえは僕を欲得ずくの人間だって決めつけたんだよ。父さんのために、付き合ってるって思ってた。誰が、そんなことするもんか！」

「和哉……」

「僕の父さんが出世のために、おまえの父さんの靴を舐《な》めたいって言うんなら止めやしない。でも、僕はおまえの靴を舐めるつもりなんてないからな。おまえに何かして欲しいと思って、傍にいるんじゃない……っ！」

怒鳴っているうちに興奮の極みに達した和哉は、ブルブルと震えていた。

「この旅行だって、嫌々来てると思ってたのか？　一緒に計画を立ててたときも、僕は腹の底で『父さんのためだ。我慢しなきゃ』って呟いてたとでも？」

「ごめん……」

「謝らなくていい。僕の許しなんて、どうせ必要ないだろうから」

「違う！　そんなこと……っ」

否定しようとして、海斗は口籠《くちご》もった。一体、何が違うのだろう。確かに、彼は和哉の友情を疑っていたのだから。

和哉は顔を背けた。そのとき、彼の目にうっすら涙が浮かんでいるように見えたのは、海斗の気のせいだったのだろうか。

「おまえの心には踏み込めない部分があるのは感じてた。でも、誰にもそっとしておいて欲しいことはあるから、なるべく触らないように気をつけてたんだ。それが、単に『お客様扱い』されていただけとはね……ホント、そんなの、思ってもみなかった。ずっと、おまえのことを友達だって信じてた僕も、いいツラの皮だよ」

和哉の悲しみが海斗の心臓を鷲掴《わしづか》みにして、キリキリと引き絞る。酷いことをしてしまった。自分のいじけた思い込みが、どれほど和哉のことを貶《おとし》めていたかを知り、海斗は愕然《がくぜん》とする。

誰も本気で付き合ってくれないと被害者然としていた彼の方が、本当は加害者だったのだ。

(心を閉ざして、和哉をはねつけてた。こいつが遠慮してるように見えたのは、俺が自分からガードを下げるのを待っていてくれたからなのに……)

パンチを喰らうまで判らなかった己れの迂闊《うかつ》さを、海斗は呪《のろ》った。その一方で、和哉が容赦なく殴ってくれたことに感謝する。和哉はただ海斗を軽蔑《けいべつ》することだってできたはずだ。だが、そうする代わりに、和哉は自分の気持ちをきちんと伝えてくれた。海斗に傷つけられた後でさえ、真正面から向き合おうとしてくれたのだ。

「ごめん……」

海斗は他にどうすることもできなくて、和哉を抱き締める。

和哉はうるさそうに肩を大きく揺すり、その抱擁《ほうよう》から逃れようとした。

「本当にごめん。これしか言えないけど……」

海斗は腕に力を込め、言葉を継いだ。

「自信がなかったんだ。誰かに好かれる自信がなかった。親に言われて、俺にヘイコラする奴が本当にいたからさ。いつしか、皆、そうなんじゃないかって思うようになっちまって……」

抵抗するのを止めた和哉は、僅かに赤く充血した眼を上げる。

「言い訳は聞きたくない」

「そう……だよな」

だったら、もう何も言えない。海斗は肩を落とし、和哉から身を離す。

一時の興奮は過ぎ去ったようで、和哉が静かに口を開いた。

「人に好かれる自信？　そんなの、僕だってないよ。自分の方から働きかけもしないで、好きになってもらえるなんて、ほんの一握りの人間だけだ。それだって、アフターケアをしないでいれば、すぐに飽きられるのがオチさ。海斗はずるいんだ。自分だけ楽をしようとして」

「判ってる。反省してるよ」

海斗は和哉を真っすぐ見つめた。

「嘘じゃない。もう一度、やり直させてくれ。そうしたら、もう、皆、同じだなんて諦めない。俺も素直に心を開くから」

「どーだか……」

和哉の瞳には疑惑の色が浮かんでいた。頭ごなしに海斗の申し出を拒否する気はないようだが、一も二もなく受け入れるのも躊躇いがあるのだろう。手酷い裏切りの後では無理もない。海斗にできることは、再び和哉の信頼を得られるまで、誠実に振る舞うことだけだ。

一層強くブレーキがかかって、車輪がレールと擦《こす》れる甲高い音がする。他の乗客もやってきたので、デッキはあっという間に混雑し始めた。それでも、欧米人は他人の身体に接触することを極度に嫌うので、日本の満員電車のようにすし詰めになったりせず、僅かな隙間を残している。

「ジェイミー、どこ?」

デッキの後ろの方から、心配そうな女性の声がする。

「ここだよ!」

いつの間にか、海斗の右脇に潜り込んでいた少年が返事をする。そして、列車が停《と》まるのと同時に素早くボタンを押し、乗降口の扉を開けた。

「マミー!　早く!」

元気良くプラットホームへジャンプし、振り返った笑顔が眩しくて、海斗は思わず目を細めた。この少年のような無邪気さを、彼はどこに置き忘れてきてしまったのだろう。

「待ちなさい。迷子になったら、泣くのはあなたよ」

母親に諫《いさ》められても、ジェイミーは笑いながら、ずんずん歩いていく。

海斗には判っていた。あの少年は信じているのだ。たとえ迷子になっても、絶対にママは見つけてくれると。

(羨ましいよ、ジェイミー。俺にも絶対に見捨てないでいてくれる相手がいたんだ。でも、俺は馬鹿だったから、それに気づかなくてさ。ようやく、大事な人なんだって判ったときには、失ったも同然になってた。自業自得なんだけど、ホント、情けなくて、泣けてくる……)

いっそのこと、本当に泣き出してしまえたら、どんなに楽だろう。だが、自分にそんな権利はないことも判っていた。海斗はこみ上げてくる悲しみを必死に飲み下しながら、和哉に続いて列車を降りる。午前中の晴れやかさが嘘のように、彼の心はどんよりと重くなっていた。

2

オンシーズンだけあって、プリマスは街中どこも人が溢《あふ》れている。外国人観光客も少なくない。だが、日本人の姿は見当たらなかった。南西部では有名なケルト人の遺跡『ストーンヘンジ』を見るついでにソールズベリやバースに寄るぐらいで、コーンウォール半島の方まで足を伸ばす人はそんなにいないのだ。

（ロンドンやコッツウォルズ、レイク・ディストリクトだけが見所じゃないんだけどな。でも、ま、これ以上、B&Bの争奪戦が激しくなるのも困るか）

自分達も観光をする前に落ち着き先を決めておいた方がいいだろう。そう思った海斗《かいと》は傍らを歩いている和哉《かずや》を振り返った。

「とりあえず、今夜の宿を探さないか？」

和哉は頷《うなず》いた。

「僕のガイドブックだと、ノース・ロード・イースト辺りにB&Bが集まってるって書いてあるけど」

「じゃ、そこを片っ端から当たってみよう」

「ベッドルームは狭くてもいいから、朝食が美味《おい》しいところがいいな」

だが、清潔で安く、しかもこの悪名高きイングランドでまずまず食事が食べられる宿に泊まりたいと思うのは誰しもだ。これはと思って訪ねた宿全てに『満室なので』と断られてしまうと、さすがに海斗達も焦ってきた。

「この季節だから風邪の心配はないと思うけど、やっぱ、野宿は避けたいよな」

和哉は溜《た》め息《いき》をついた。

「同感。あとは海の方にホテルがあるらしいけど……」

「そっちから先に一杯になったんじゃねーの」

「ダメモトで当たってみよう。それにツーリスト・インフォメーションが港の近くにあるから、ホテルも全滅だったら問い合わせてみればいい」

話はまとまった。二人は駅前のロータリーに戻ると、そこからほぼ直線で『ホーの丘《ザ・ホー》』まで続くアルマダ・ウェイを歩き出す。この大通りもそうだが、プリマスは遊歩道が多い街だ。

人々は車の往来を気にせずに、木々の緑を楽しみながら散歩やサイクリングができる。

微《かす》かに潮の匂《にお》いがする空気を深く吸い込んで、海斗は言った。

「いい街だな。まあ、これは思い入れがあるからかもしれないけど」

「そうだね。他の街とどこが違うのかって聞かれたら、答えに困る」

和哉はこれまで歩いてきた方を振り向くと、カメラを構えて遊歩道を撮影した。

「僕も好きだよ。でも、ドレイク達が活躍していた頃のプリマスも見たかったな。今より小さかったと思うけど、もっと活気があっただろうし」

「ああ。最前線の港だったからな」

海斗は和哉を見つめながら思った。

（こんな風に話をしてると、何にも起こらなかったみたいだ。でも、やっぱり、どこか空気が張り詰めてるんだよな……）

駅に降り立ってからの和哉は、激しく海斗を非難したことが嘘《うそ》だったかのように、いつもの穏やかな態度を取り戻していた。海斗の反省を受けとめて、彼なりに歩み寄ってくれているのだろうか。それとも、今度こそ偽りの友情に徹することにしたのか。海斗は真意を突き止めたくて、和哉の態度や言葉をいちいち分析してみるのだが、やはり判らない。ただ、このまま旅を続ける姿勢を見せているということは、完全に決裂する気がないと見なしてもいいのではないだろうか。海斗はそうであって欲しいと願っていた。

（絶交されたって仕方ない状況だったもんな……）

あからさまに拒絶されないだけでも、ありがたいと思うべきなのだろう。だが、人間というのは欲深な生き物だ。時を戻すことができないように、二人の関係も以前と全く同じという訳にはいかないのだと思うと、海斗は寂しさを感じずにはいられなかった。

「この辺りの地名ってプリマスとか、ダートマス、ボーンマスとか、必ず『マス』がついてるけど、どうしてかな?」

海斗は二人の間に沈黙が立《た》ち籠《こ》めるのが怖くて、次の話題を探した。

「よくスペルを見た? 『MOUTH』——つまり、口だ。マスがついている場所は川の下流、河口にある街なんだって」

和哉が教えてくれる。海斗が知りたいと思うことは、大抵、和哉に聞けば解決するのだ。

「昔々、この辺りはケルト人の土地だった。そして、彼らは音楽の才能があることで知られてる。アーサー王の円卓の騎士で、コーンウォール王家の血を引くトリスタンも竪琴《たてごと》の名演奏家だったみたいにね。ドレイクも『ヴァージナル』っていうハープシコードの前身みたいな楽器の音色が好きだったらしいよ」

「へえ、自分で演奏したの?」

「それは判らないけど……」

和哉はふと悪戯《いたずら》っぽい表情を浮かべた。

「でも、ドラムなら叩《たた》けるはずだ」

「知ってる! 伝説の太鼓だろ!」

海斗は目を輝かせた。

ドレイクス・ドラム——それはキャプテン・ドレイクが世界周航のときに携えていった

と言われている太鼓で、船員に戦闘開始の合図を送るときに打ち鳴らされたものだ。ドレイクの死後は、彼の住まいだったバックランド・アビィの壁を飾り、現在も同屋敷内に設けられた海事博物館で展示されている。

なぜ、この太鼓が『伝説』かというと、イングランドに危機が迫るとき、高らかに轟《とどろ》いて祖国を護るという話があるからだ。海斗もヴィクトリア朝の詩人、ヘンリー・ニューボルトが『ドレイクの遺言』という形を取って、この神秘的な楽器のことを謳《うた》った作品を読んだことがあった。

わがドラム、イングランドに持ち帰りて岸辺に吊《つる》し、
汝《なんじ》らが力、足らざるときに打て
スペイン軍、デヴォンをうかがわば、われ急ぎ天国の港を出でむ
昔、軍勢を集めたるごとく、海峡へ彼らを呼び出さむ

だが、海斗がこの旅行前に調べたところによれば、詩に書かれていることと事実は違っていて、太鼓はいつも自ら鳴り出すらしい。探しても、探しても、一向に本体は見えないが、確かに音が聞こえ、しかも、攻撃が始まるまで止まないという。

(それって、結構、ブキミ～)

海斗は苦笑した。

ドレイクの太鼓は現在まで三度、一説によると四度鳴ったと、コーンウォールの人々は信じている。ドレイクの魂はその戦いのリーダー的人物に乗り移り、イングランドに勝利をもたらしたのだそうだ。

（一度目は英蘭戦争のロバート・ブレイク提督。二度目はトラファルガーの海戦でホレイショ・ネルソン提督。三度目は第一次世界大戦でジェームズ・グラント提督。なぜ、四度目が例外扱いされるのかっつーと、それが鳴ったのは第二次世界大戦の英国大空襲《バトル・オブ・ブリテン》のときで、それまでのように海戦じゃなかったからなんだよね）

この不思議な伝説について思いを巡らせていると、海斗の胸は自然と弾む。確かに、一、二度目は遠い過去の話で、ただの作り話に過ぎないと疑われても仕方がなかった。だが、三度目の事件が起こったのは二十世紀――まぎれもなく、この科学の発達した現代の話だというのだから面白いではないか。

（グラント提督とか、部下のマックローラン艦長とか、お堅い軍人さんが口を揃《そろ》えて、『確かに鳴った』って証言したっていうんだからスゲェ）

ドレイクの太鼓が展示されているバックランド・アビィには、明日行くことになっているが、海斗は待ちきれないような気分だった。

「現代のミステリーだよな。早く実物が見てー」

和哉も同感だったらしい。

「うん。本人が死ぬまで片時も離さなかったっていうんだから、ドレイクの念が籠もってるって言われても納得できるよね」

「なんか、『念』とか言うとヘビーな感じ。幽霊じゃないんだからさ」

「そうかな。天国とはいえ、死後の世界から蘇《よみがえ》ってくるっていうんだから、ドレイクも亡霊の類じゃないの？　安らかな眠りにもつかないで、祖国を有事から護るっていうのも英雄的だけど、裏を返せば一種の妄執だよね」

「ひー、話がミステリーから、ホラーっぽくなってきたぜ」

海斗がわざと怖がるフリをすると、和哉もしたり顔で言う。

「怪談はイングランドの十八番だ。特にコーンウォール半島を含むデヴォン州は幽霊譚《ゆうれいたん》が多いんだって」

「例えば？」

「土地柄、一番多いのは幽霊船の話かな。ゆらーっと海上を漂っている船に近づいてみると、帆はボロボロ、乗組員は皆ガイコツだった、とかね。あとはペンザンスの宿屋に出るっていう絞首刑にされた海賊船長とか、この近くだとダートムーアの『小屋の幽霊』が有名だな」

「なに、それ？」

海斗は興味を惹《ひ》かれた。

「地元の人間が森を歩いていたら、そこにあるはずのない古い小屋が忽然《こつぜん》と建っていたんだって。おかしいなって思って、もう一度行くと消えている。後で調べてみると、昔、確かにそこに炭焼き小屋があったそうなんだ」

海斗は眉を寄せる。

「それって、単に幻を見ただけじゃないの？　だいたい、小屋自体に念なんか、あるわけ？」

「さあね。あるオカルト研究家は、その土地の時空が何らかの理由で歪《ゆが》んでいるか、裂け目のようなものがあって、過去と現在が繋《つな》がるトンネルみたいになっているって説を提唱してたな。過去の家が来れるなら、現在の人間もあちらの世界に行けるはずだってさ。つまり、彼はそれを自然が作ったタイムマシンだって言いたかったらしい」

「おい、おい、しまいにはＳＦかよ」

和哉はそれを聞いて、微かに笑みを浮かべた。

「昔見た映画のセリフを思い出すよ。『神様はこの世をたった六日で作った。だから、そこら中に穴が空いてたってムリはないさ』ってね」

海斗も口元を緩める。

「なるほどね。だったら、その森に行けば、ドレイク達がいた時代にも飛べるかな？」

「トンネルの出口が何世紀に繋がってるかが問題だね。ちなみにダートムーアの小屋は十八世紀のものらしい」

「ちぇ、つまんねーの」

和哉が聞いた。

「行けるものなら、行ってみたい？　海賊達のいた時代に？」

海斗は即答する。

「当然！　この目で彼らの血湧き肉躍る活躍を見てみたいね。いや、俺が海賊になって大暴れするのもいいな」

「でも、当時の船上生活って厳しかったんだろう？　船の上じゃ風呂《ふろ》にも入れないから不潔だし、食物や飲み物もすぐに腐って、それを食べたのが原因で病気になったりしてさ」

海斗は顔を顰《しか》めた。

「それを言われると躊躇《ちゅうちょ》するよな……やっぱり見てるだけの方が楽でいいか。あー、ホント、ドレイクなら幽霊でも会いたいぜ」

和哉は肩を竦《すく》めた。

「僕は遠慮しておく。やっぱり怖いもん」

ふと閃《ひらめ》いて、海斗は聞いた。

「な、ドレイクの太鼓って、ショーケースの中に入ってんの？」

「だと思うよ。木とか皮で作られてるから、外気に曝《さら》したままだと傷みが激しいでしょ」

「博物館の人に『一生のお願い』って頼み込んだら、叩かせてくれねーかな？」

和哉は思わず吹き出した。

「無理だよ！　それに、太鼓を鳴らしたら、ドレイクが蘇っちゃうだろ」

海斗はニヤリと笑う。

「それが目的だって」

「本当に来たとして、敵がいないことが判ったらどうする？　怒りだしちゃうんじゃない？」

「予行演習だって言えば？」

和哉は呆《あき》れたように溜め息をついた。

「霊をからかうとロクな目に遭わないよ。それに、デヴォンの人達は太鼓の力を信じてるし、ドレイクはイングランドの英雄だから、遊びで叩くなんてことをしたら国辱ものだ」

海斗は唇を尖《とが》らせた。

「冗談だよ。何も本気でやるワケじゃないって」

和哉はきっぱりと言った。

「嘘だ。もし、太鼓がショーケースの外に出ていて、回りに誰もいなかったら、おまえは絶対に叩くタイプだよ」

海斗は内心、舌を出す。さすがに付き合いが長いだけあって、和哉は海斗の性格というものを知り尽くしているようだ。

やがて、彼らはホーの丘がある公園に辿《たど》り着いた。プリマス市民の憩いの場だが、海斗達はまだ和む訳にはいかない。

「本日のご宿泊ですか？　ちょうど今、一室、空きが出たところですよ」

再び始まった宿探し——幸運は三軒目の『インヴィクタ』で訪れた。たまたまツインの客室にキャンセルが出たのだ。

「一泊八十ポンドのお部屋になりますが？」

受付の女性の言葉に、二人は顔を見合わせた。

「どうする？　もう少し、安い所を探した方がいいのかな？」

海斗が聞くと、和哉が言った。

「愚かなヤドカリの話を知ってる？　今、被《かぶ》ってるのよりも良い貝を探しにいったんだけど、これが全然見つからない。諦《あきら》めて帰ってくると、自分の住みかには別のヤドカリがちゃっかり入り込んでいる。そして、身を護るものを持たない彼は、通りがかった魚に食われちゃうんだ」

含蓄のある話だ。海斗は女性に向き直った。

「チェックインします」

部屋に荷物を置いて身軽になった海斗達は、早速ホーの丘に繰り出した。ドレイクの騎馬像を見たり、街の変遷や大航海時代の歴史をヴィジュアルで紹介するプリマス・ドームをひやかした後、以前は灯台だったスミートン・タワーに登って、この港町の全景を楽しむことにする。

「ん〜っ！」

海斗は両手を天に突き上げ、思いきりノビをした。

「浜風が涼しくて気持ちぃい〜」

ふと、気がつけば夕方だ。時計の針は午後六時近くを指している。だが、緯度の高いイングランドでは日没が遅いので、曇り空でも辺りはまだ日本の三時ぐらいの明るさを保っていた。

「あそこ……雨雲だ」

和哉が海上を指差す。

「まだ遠いけど、この浜風に乗って近づいてくるかも」

海斗はそちらに視線を向け、ドス黒い入道雲を確かめると、眉間《みけん》に皺《しわ》を寄せた。

「くそ、今晩は降ってもいいから、明日は晴れてくれ」

「うん。バックランド・アビィは庭も見所の一つだしね」

二人は言葉を途切れさせ、しばらくボーッと雨雲を見やった。その間にも風はいよいよ強くなり、湿気を帯びてくる。和哉が指摘したように、程なくこの丘にも雨が降り始めるに違いなかった。そのとき――。

「ん……？」

海斗の耳に遠くで鳴り響く太鼓のような音が届いた。

辺りをキョロキョロ見回す彼に気づいて、和哉が聞く。

「なに？」

「今、ドォーンって音、しなかった？　太鼓を叩いたみたいな……」

「例えば、ドレイクの太鼓みたいな？」

和哉が苦笑する。

「空耳だよ。それか、あの入道雲の中で雷が鳴り始めたんじゃない？」

「カミナリ……」

そう言われれば、そんな感じだった。海斗も己れの影響されやすさに苦笑いを浮かべる。

和哉が言った。

「ゴロゴロやり始めたんなら、間違いなく降るよ。一張羅を濡《ぬ》らす前にホテルに戻ろう」

「そうだな」

二人はタワーを下り、綺麗《きれい》に芝生が刈り込まれたホーの丘を歩き始めた。

だが、十歩もいかないうちに、海斗はピタリと足を止める。

（また、聞こえた……ドン、ドン、ドン……連打してる）

海斗は青ざめた。違う。雷ではない。それにしてはピッチが速すぎる。しかし、だとすれば、
あの音は一体何なのだろう。

「どうしたの?」

和哉も彼の姿に異常を感じ取って、顔を強ばらせていた。

「聞こえないのか?」

「何が?」

「さっきから鳴り続けてるじゃないか!」

「また、太鼓の話? 気のせいだって……」

海斗は苛立《いらだ》ち、和哉の腕を掴《つか》んだ。

「黙って! 目を瞑《つむ》ってくれよ。耳を澄ませば、聞こえるはずだ。早く……!」

強く促された和哉は不審の表情も露《あらわ》に瞼《まぶた》を閉じた。そして、次の瞬間、目を大きく見開く。

「い、今のは……」

和哉の耳にも規則正しく叩かれる太鼓の音が聞こえたようだ。

「判った?」

海斗が憑《つ》かれたような表情で言う。

「探しても見当たらない。人の目には映らないドラム——あれはドレイクの太鼓だ。ホーの丘で鳴り響いているんだよ」

「まさか……ありえない!」

和哉は半ば叫ぶように言った。

「それが鳴るのは、イングランドに敵が襲来するときだけだ。今はどことも戦争をしていないじゃないか！」

海斗はその言葉をほとんど聞いていなかった。フラフラと足が進むままにタワーの方に引き返し、さらにその下にある港へ歩いていく。まるで、誰かに誘われているように。そう、ドラムの音を聞いていると、ジッとしていられないのだ。だが、

「どこに行くんだよ……っ！」

ふいに肩を掴まれて、海斗は呆然《ぼうぜん》としたまま背後を振り向いた。

「和……哉」

「ホテルはそっちじゃないだろ！」

和哉が紙のように白くなった顔に泣きだしそうな表情を浮かべて、海斗を見つめていた。

「……ホテル」

海斗はポツリと呟《つぶや》いた。違う。彼が行くべき所はそこではない。

和哉は彼の肩を激しく揺さぶった。

「なに、ボンヤリしてるんだよ！　しっかりしてくれよ……！」

海斗は和哉の腕を振り払った。何故だかは自分でも判らないが、引き止められると苦しい。行く手を塞《ふさ》がれるとイライラする。彼は再び和哉に背を向けると、海に向かって走りだした。

「海斗ッ……！」

和哉の制止の声にも振り向かない。海斗は心が赴くまま、足が繰り出すままに、前へ、前へと進んだ。息が乱れ、顔が熱くなる。すると、それを冷ましてやろうというように、彼の頰《ほお》に雨の粒が落ちてきた。

「降ってきたぁ」

「やー、もう！」

十歳ぐらいの女の子が二人、それぞれ明るい嬌声《きょうせい》を上げながら、海斗の傍らを擦り抜けようとする。

「きゃあ……！」

だが、俯《うつむ》き加減で走っていた右側の少女は目測を誤って、海斗にぶつかってしまった。

「わあっ」

海斗は全く力が入っていなかったように、小さな女の子に弾き飛ばされてしまい、芝生の上に倒れ込んだ。

「うう……」

俯《うつぶ》せになり、転倒したときに地面に打ちつけた頭を押さえながら、海斗は僅《わず》かに頭を上げる。すると、目と鼻の先に何本かの木製の棒が菱形《ひしがた》になるように立てられているのが見えた。

「……九柱戯《ナインピンズ》」

海斗は呟く。別名スキットルス——イングランドではボウリングの前身と言われている伝統的なスポーツで、現在も大きめのパブなどでゲームを楽しんでいる人々を見かけることがある。だが、なぜ、そんなものが自分の前にあるのか。

(そういや、ドレイクも九柱戯が得意だったんだよな。無敵艦隊がやって来た当日も、ホーの丘で遊んでて……)

そこまで思って、海斗はハッとした。

(和哉が話してた小屋みたいに、このピンも『幽霊』だとしたら……?)

もし、そうなら、今も鳴り響いている無気味な太鼓の謎も解くことができる。ピンと同じく、その音もまた『この世のもの』ではないのだ。そう、ダートムーアの森に十八世紀へ続くタイムトンネルがあるとすれば、ここ、ホーの丘には十六世紀――――つまり、ドレイクが生まれ、活躍していた時代へ抜けるトンネルがあるのではないだろうか。

(グラント提督達は、約四百年前にドレイクの鼓手がドラムを叩いたときの音を聞いたのかもしれない。たぶん、そのトンネルは常に開かれてる訳じゃなくて、何らかの契機が……そう、イングランドに不穏な空気が立ち籠めたときだけ開放されるのかもしれない)

海斗は震える腕を伸ばし、ピンを取ろうとした。しかし、すぐ手に取れるほど近くに見えているのに、指が触れそうになると蜃気楼《しんきろう》のように輪郭がブレて、遠ざかってしまう。幽霊だから、実体もないのか。海斗は眉《まゆ》を寄せた。

(それにしちゃ、生々しい質感がある)

海斗はさらに腕を突き出し、今度こそピンを摑もうとした。すると、今度は目には見えない膜のようなものが手を包み、やんわりと押し戻すような感覚があった。慌てて腕を引くと、その膜は雫《しずく》の落ちた水面のように揺らめき、その向こうにあるピンの形も歪ませる。海斗は直感した。これこそが過去と現在を隔てている時空の障壁に違いない。

（十六世紀へのトンネル――このセロファンのような壁を突き抜けて『あっち側』へ行ったら、ドレイクに逢《あ》えるかもしれない）

拳を握った海斗は、それを膜に思いっきり叩きつける。止むに止まれぬ衝動だった。自分の行動がどんな事態を引き起こすかなど、これっぽっちも考えなかった。ただ、それを破りたかったのだ。微かな抵抗を感じた後、海斗の手は向こう側にズボッと突き抜ける。

（やった……！）

先程のピンのように輪郭がブレて見える自分の手に瞳《ひとみ》を落としたまま、海斗は思った。もし、十六世紀のホーの丘に誰かいたら、その人物は彼の手を幽霊のものと考えるに違いない。宙に手首だけが浮いている様を想像して、海斗は苦笑した。実に薄気味悪い光景だ。

（和哉にも教えてやらないと……あいつ、どこにいるんだ？　トンネルが本当にあるってことを知ったら、きっと腰を抜かすほど驚くぜ）

そう思いながら、海斗は一旦、壁の向こうから手を引こうとした。だが、抜けない。押しても引いても、動かない。まるでコンクリートの中に塗り込められてしまったかのように、腕は

ビクともしなかった。ようやく、自分がとんでもないことをしていることに気づいて、海斗はサッと顔色を変える。

(壁を通り抜けることはできるかもしれない……でも、戻ってこれるのか？)

もし、この手を引き抜くことができなければ、自分はどうなってしまうのだろう。一生、地面に縫い止められたままでいろというのか。パニックに襲われた彼は必死に身を藻掻《もが》き始めた。

「ご、ごめんなさい……！」

転倒したまま、蜘蛛《くも》の糸に絡め取られた贄《にえ》のように四肢を蠢《うごめ》かしている海斗の様子を見て、ぶつかった少女は酷《ひど》く狼狽《ろうばい》しているようだった。

「どうしよう？」

「打ち所が悪かったのかな？」

もう一人の少女が健気《けなげ》にも海斗を助けようとしている。

「あの、大丈夫ですか？」

だが、次の瞬間、二人は魂消《たまぎ》るような悲鳴を上げて、飛び退いた。

「きゃああっ」

和哉が駆けつけてきたのは、ちょうどそのときだ。

少女達は和哉にしがみつき、口々に訴える。

「あ、あの人、手が……っ」

「助けて、神様！」

和哉は不審の表情を浮かべて海斗に歩み寄った。そして、アッと声を上げる。海斗の右の手首から先がスパッと切り取られたように宙に消えていた。

「か……海斗……っ」

一体、どうなっているのだろうか。和哉は込み上げる吐き気をこらえながら、輪切りにされた部分を凝視した。まるで人体解剖図のように赤い肉、白い骨が見えている。だが、不思議なことに出血はしていなかった。そう、体内で凍りついてしまったように、一滴も流れていない。

(な、何があったんだ……？　い、いや、そんなことより、早く手当てをしないと！)

今や少女と同じぐらい狼狽《うろた》えながら、和哉は海斗の背中に触れた。

「し、しっかり……っ！　今、びょ……病院に連れていってやるから」

海斗はのろのろと顔を上げ、苦しそうに言った。

「だめ……だ……離れろ……っ」

「なんで！」

「引っ張り……込まれ……る」

「どうした！」

和哉は友人が錯乱しているのだと思った。彼はジーンズのポケットからハンカチを取り出すと、とりあえず海斗の傷口を覆おうとする。

(それにしても、何が起こったんだ? こんな怪我《けが》をするなんて……)

和哉も彼が少女とぶつかって倒れるところは目にしていた。では、倒れこんだ先に刃物のようなものでも落ちていたのだろうか。和哉は辺りを確かめてみたが、そこにはただ芝生が広がるだけだった。

(そうだ……それに切断された手は? どこにあるんだ?)

和哉は聞いた。

「海斗、おまえの手は?」

「向こ……う」

海斗は喘《あえ》ぐように言った。何かに耐えるように全身を震わせている。

「なに? 向こうって、どういう……」

意味か、と言い終わらぬうちに、海斗は感電した人のように大きく身体を痙攣《けいれん》させ、和哉を突き飛ばした。

「うわっ!」

無防備だった和哉は、押されるまま尻餅《しりもち》をついた。

「な、何するんだよ?」

驚愕《きょうがく》と多少の怒りを込めた視線を海斗に向けた和哉は、次の瞬間、絶句する。今や、失われているのは手首だけではなかった。二の腕までもが消失していたのだ。

(これは……)

和哉は額にかかる髪を震える手で掻《か》き上げる。何かしていないと、このまま気を失ってしまいそうだった。

(一体、何が起こっているんだ……?)

恐怖と絶望の表情を浮かべている海斗が、何かを訴えようとして唇を動かした。半ば呆然としていた和哉は、慌てて身を乗り出す。もはや海斗は声も出せなくなっていた。

「聞こえない。もっと、ゆっくり喋《しゃべ》って……!」

和哉は辛抱強く唇の動きを読み取ろうとする。

「お……? こ……? ああ、『と』! 次は? 判った! 『ん』だね。それと……」

え行――和哉は海斗が何を伝えようとしているのかを悟り、慄然《りつぜん》とした。

「トンネル……?」

彼がぽつりと呟いた瞬間、ふいに海斗は前のめりになったかと思うと、和哉の視界から跡形もなく消滅してしまった。巧妙な落とし穴に落ちたか、流砂に引きずり込まれたかのように、いきなり掻き消えてしまったのだ。

「いやーっ!」

恐る恐る様子を窺《うかが》っていた少女達が悲鳴を上げ、ショックのあまり次々に昏倒《こんとう》する。

和哉は一瞬前まで友人がいた場所に身を投げ出すと、死に物狂いで地面を叩いた。

「どこだ、海斗！　かいと……っ！」

そんな和哉を嘲笑《あざわら》うかのように雨足が一気に強くなり、遠雷が低く鳴り響く。それは海斗と共に聞いたドラムの音とは似ても似つかないものだった。和哉はぼんやりと思う。ドレイクは何を警告しようとしていたのだろうか。太鼓の音が止んだということは、すでに戦いは始まっているということなのだろうか。そして、それは海斗に関係があることなのか。

（判らない……僕には何にも判らないよ）

早くもできた水溜りを叩いて、跳ね上がった泥水で顔を汚した和哉はついに腕を止めると、のろのろと身を起こした。いや、一つだけ判っていることがある。海斗が行ってしまったということだ。信じたくはないが、海斗は『トンネルの向こう』に行ってしまった。和哉の目前で起こった出来事は、そう思う以外に説明のしようがない。

（独りぼっちで行くなんて馬鹿だ。逃がそうなんてしないで、僕も巻き込めば良かったじゃないか。急に思いやったりしないでさ）

和哉は虚《うつ》ろな表情で暗く垂れ籠めた天を見上げた。次々と頬に落ちる雨の雫に涙が交じる。嫌いになろうとしたけれど無理だった。やはり、海斗は大事な友達だ。気も狂わんばかりに怖がっていた彼が哀れだった。何もしてやることができなかった自分が情けない。そして、これからのことを思うと、和哉は不安で、不安でたまらなくなってくる。

(おばさん達に、なんて説明すればいい？　母さんと父さんは気が狂ったみたいになるだろうな。僕がついていて、どうしてそんなことになったんだって……)

異世界に通じるトンネルの話などをしても、真に受けてはもらえないことは、和哉も判っていた。おそらく、『突然、蒸発してしまった』と言うのが一番信憑《しんぴょう》性があるのだろう。彼の背後で気を失っている少女達も、「その通り」と証言してくれるに違いない。だが、それで皆が納得し、いつしか海斗の不在に慣れていったとしても、和哉だけは苦しみ続けることになるだろう。真実を知っているのは彼一人であるがゆえに……。

3

カトリックの希望、麗しのメアリー・スチュアートが処刑されたのは、一五八七年二月八日のことだった。スコットランド王女として生まれ、父ジェームズ五世の崩御によって生後六日で女王になり、フランソワ二世妃として華やかなフランス宮廷に君臨、夫の死後、祖国に戻って政治を見たが、王家と反目する貴族達との内戦を繰り返したあげく敗北――失意のうちに退位した悲劇の女性だ。

命からがらスコットランドを逃げ出したメアリーは、隣国イングランドの女王エリザベス・チューダーのもとへ身を寄せた。良く言えば疑うことを知らない、率直に言うなら単純なところのあるメアリーは、手紙で親しげに『愛する妹よ』と書いてくる従姉のエリザベスが自分を歓迎し、王族に相応《ふさわ》しい生活を保証してくれると信じていたのだ。

けれども、メアリーは忘れていた。エリザベスは父ヘンリー八世によってカトリックと袂《たもと》を分かった英国国教会の保護者だということを。

ヴァチカンはエリザベスを異端として破門し、母のアン・ブーリンが姦通《かんつう》の疑いをかけられてヘンリー八世に処刑されたとき、嫡子としての権利が奪われたことを論《あげつら》っていた。

「エリザベスは呪《のろ》わしい私生児の王位簒奪《さんだつ》者だ。本来、イングランドの女王に就くべきは、ヘンリー七世の血を引き、教会によって結婚を承認された夫婦から生まれたメアリー・スチュアートなのだ」

そんな現法王シクストゥス五世の言葉に、エリザベスがどれほど怒り、神経を尖らせていたかを知らなかったのはメアリーだけだった。

処女王と呼ばれているエリザベスは結婚しておらず、当然ながら子供もいない。もし、彼女が暗殺されでもしたら、イングランドの王位は最も血が近く、最も身分の高いメアリーが引き継ぐことは避けられなかった。あるいは、メアリーと結婚することによって共同統治者となり、イングランドを属国にしようと狙《ねら》っているカトリックの王達が。

「とんだお荷物だこと……！　メアリーを生かしておけば、私が常に暗殺の危険に曝《さら》される。かといって、肉親ということで私を頼ってきたメアリーを殺せば、世間から批判されることは避けられないわ。一体、どうしろというの？」

エリザベスは廷臣達に向かい、そんな苛立ちの声を上げたという。

結局、誰にも王座を明け渡すつもりのない彼女と、外国の内政干渉を恐れる議会が決定したことは、この『お荷物』をカトリック勢力の手の届かない場所に隠してしまうことだった。

「愛《いと》しい妹メアリーへ。カトリックのあなたを私の王宮に迎えるには議会の許可が必要です。

手続きを済ませたら迎えにいくので待っていて下さい。お会いする日を楽しみにしています」

そんな白々しい手紙を送りつけてきたエリザベスを信じて、お人好しのメアリーは待った。ロンドンから遠く離れた陰鬱《いんうつ》な館に閉じこめられ、自由になる日を待って、待ち続けた虚《むな》しい数年間――――ようやくエリザベスの残酷な背信に気づいたメアリーは、イングランドからの脱出を試みた。だが、不幸にも計画は事前に発覚し、彼女はより監視が厳しい城塞《じょうさい》に移されてしまったのだ。

「なぜ、私がこんな目に遭わなくてはいけないの？」

怒り狂ったメアリーは、エリザベスへの復讐《ふくしゅう》を誓った。そして、自分と同じカトリックで、『太陽が沈むことがない』と言われるほどの広大な領土を統《す》べるスペイン国王フェリペ二世に密使を送り、以前から打診があった結婚の申し出を受けたい旨を伝えた。

「一刻も早く、私をこの暗い牢獄《ろうごく》から連れ出して下さいませ。結婚の祝いとして、あの赤毛の雌ギツネの血を流して下さったら、すぐに陛下のものになりますわ」

もちろん、フェリペはメアリーの決意を喜んだ。結婚は経済的に領土を増やす方法だからだ。戦争はとかく費用がかかりすぎる。父親の代からの積もりに積もった戦費の赤字は、スペインの国庫を破綻《はたん》させていた。新大陸から絶え間なく黄金が流れこんできているのに、少しも国は潤わないのもそのためなのだ。しかし、それでも戦争を止めることはできなかった。王の欲望とは誰よりも広い国土を治め、あまねく民から偉大さを謳われること――――アレクサンダー大王の時代から、それは変わらない。

「エリザベスを殺せ。そして、私が再びメアリーという名の女を妻にするとき、イングランドに蔓延《はびこ》る異端の新教徒どもは地獄の業火に焼かれるだろう」

フェリペはかつてエリザベスの異母姉メアリー一世と結婚していたことがある。彼女が病没した後、イングランドの統治権を手放すまいとしてエリザベスに言い寄った彼は、さんざん焦らされたあげく振られてしまい、それを根に持っていたのだ。

謀略。そして、露見。

続々とスペインから送り込まれてくる刺客達を捕らえ、処分したのは、エリザベスの懐《ふところ》刀《がたな》、秘書長官《セクレタリー・オブ・ステイト》フランシス・ウォルシンガムだった。諜報《ちょうほう》活動の元締めもしている彼は、一連の暗殺計画にメアリー・スチュアートが関与していることをつきとめると、エリザベスに申し出た。

「今までの陰謀は未然に防ぐことができましたが、『もしも』の場合がございます。尊き陛下のお命と我が国の安泰を思えば、メアリー様のお命を頂戴《ちょうだい》することも止むを得ませぬ」

それにはエリザベスにも異論はなかった。しかし、老獪《ろうかい》な彼女は渋りまくったあげく、議会から求められたので仕方ないというポーズを周囲に示してから、ようやくメアリーの死刑執行書に署名したのである。そして、血縁のある者を殺すという後味の悪さから逃れるために、その書類を持ってきた役人をロンドン塔に送り込んだ。

「忌ま忌ましい女悪魔め！　どこまで私の邪魔をする！　メアリーを殺したら、今度こそ戦争だ。おまえのちっぽけな島を吹き飛ばしてやるぞ！」

フェリペはエリザベスを脅し、その間にも何とかしてメアリーを救い出そうとしたが、厳重に監禁されている彼女には近づくこともできなかった。そして、二月の寒い朝、エリザベスの忠実な廷臣達が見守る中、メアリーは罪人として処刑されてしまったのである。国民の目を逸らすため、その日はオランダでスペイン軍と戦い、命を落とした英雄、フィリップ・シドニーの国葬も行われた。エリザベスは最後までメアリーを軽んじようとしたのだ。

「私は敬虔《けいけん》なカトリックとして、誇り高い女王として死んでいくでしょう」

長年苦楽を共にしてきた侍女に、メアリーはそう言っていた。最後まで気丈だった彼女は、これもエリザベスのいやがらせか、首切り役人の腕が悪かったために三度も斧《おの》の洗礼を浴びなければならなかったが、ほとんど苦痛を訴えることなく絶命したという。

ヴァチカン、そしてスペイン、フランスなどのカトリックの国では、メアリーの死を悼《いた》んで鐘を鳴らし、殉教者であるかのように讃《たた》えた。それからフェリペは宣言通り、イングランドとの戦争準備に取りかかったのである。

「お気の毒なメアリー様」

ビセンテ・デ・サンティリャーナは、夕暮れ迫るプリマスの港を見下ろす丘の上で呟いた。

「お亡くなりになって、はや一月――力及ばず、お救いできなかったことをお許し下さい。我らがメアリー様のご無念を思わぬ日は、一日たりとございません。いずれ、スペイン軍人の誇りにかけて、お恨みを晴らしてご覧にいれましょう。卑怯《ひきょう》なエリザベスが得意気に女王を名乗っていられるのも、そう長いことではございませぬ」

清潔な白いシャツの他は、ゆったりした膝下《ひざした》までのズボン、ヘント産の絹の靴下《ホーズ》、冷たい風を遮《さえぎ》る厚手のマント、そして目深に被った帽子に至るまで黒ずくめのこの青年は、一見すると大鴉《おおがらす》の化身のようにも見える。

だが、ふと首を上げて、ぼんやりとした春先の夕陽に曝されたビセンテの顔には、陰気な鳥を思わせるものは何一つない。短く切られた漆黒の髪。きりっとした眉。新大陸で産出されるエメラルドのように鮮やかな緑の瞳。スッと筋が通った鼻梁《びりょう》。常に引き結ばれている薄い唇がやや冷淡な印象を与えるかもしれないが、とにかく、彼は誰もが認める美貌《びぼう》の持ち主だった。あまりにも印象的で、ときに本人が不都合を感じるほどに。

（ナルキッソスのように己れの顔にうっとりする趣味はない。かといって、憎もうとも思わない。ただ、面倒は感じるな。特に敵地は厄介だ。大抵の人間は一目見ただけで、私の顔立ちを記憶してしまうから）

そのため、ここプリマスでも外出するのは夕方からと決めていた。次第に陽が傾いて、辺りがラベンダー色の薄暮に包まれると、よほど接近しない限り、他人の顔つきを見分けることは難しくなる。

(そして、私のお粗末な変装も……)

ビセンテは自らを振り返って、そっと苦笑する。

一応、彼はプリマスの対岸にある、フランス領ラ・ロシェルに住む新教徒《ユグノー》の商人を装っていた。だが、きびきびした身のこなしは明らかに軍人のもので、目端の利く者に見られたら、すぐにバレてしまうだろう。だから、あらゆるものの輪郭を曖昧《あいまい》にしてしまう夕闇《ゆうやみ》は、ビセンテにとって仰々しい甲冑《かっちゅう》よりも安全を保障してくれるものだった。

(ここはイングランド海軍のお膝元だ。用心するに越したことはない。ウォルシンガムも手下どもを配置して、私のような者が潜り込まないように神経を尖らせているはずだ)

ビセンテの口元にうっすらと笑みが浮かぶ。彼はフェリペ二世が派遣したメアリー救出隊の首領だ。イングランドに密入国して以来、ウォルシンガムに追いかけられるのは慣れっこになっている。ビセンテがその危険な遊戯を愛することはないが、まんまと逃げ果《おお》せたときは爽快《そうかい》感を覚えずにはいられなかった。

(冷血漢のイングランド人どもが地団駄を踏んで悔しがる姿ほど、滑稽《こっけい》なものはないからな)

有能なウォルシンガムのことだから、すでに宿敵の正体は摑んでいるだろう。ビセンテも、もし捕まるようなことがあれば、二度と祖国の地を踏めないことは承知していた。そう、長居は禁物だ。メアリーが処刑されてしまった今、救出隊の面々はそれぞれ落胆の思いを噛《か》み締めながら、帰国の途についている。だが、ビセンテだけは危険を承知でイングランドに残った。あと一つだけ、どうしても済ませておかねばならない用事があったからだ。

(プリマスにやって来たのもそのためだ。皆が止めるのも聞かずにな)

彼はスペインが誇る『無敵艦隊《アルマダ》』に対抗するために、軍備を増強しているというイングランド海軍の様子を、己れの目で確かめておきたかった。誰に命令されたわけではなく、個人的な興味で。というのも、元来、彼は海軍将校だったからである。

(我が敬愛する陛下はメアリー様をスペインにお迎えするつもりだった。だが、イングランドは島国だ。国外に脱出しようとすれば、必ず船に乗って海を越えなければならない。その役目を担うのは陸軍の騎士達よりも海の勇者の方が相応《ふさわ》しいと、陛下はお思いになったのだろう。そして、私が船頭に選ばれた。まあ、貧乏くじを引かされたという訳だ)

ビセンテは緑の瞳に苦笑の色を浮かべる。そう、メアリーを救い出せる可能性は、最初から無きに等しかった。それは誰もが——たぶん、命令を出したフェリペでさえ——知っていたはずだ。

(しかし、いかに理不尽と思えることでも、それが王命であれば、臣下である我々は従うしかない。そして、失敗すれば、陛下のご不興を買うことも避けられないのだろう。『できない』という言葉が、陛下はお嫌いだ)

だから、フェリペが『カトリックの希望、聖なるメアリー・スチュアートを救う騎士』を募ったときも、宮廷はしーんと静まり返るばかりで、最初は誰も名乗りを上げなかった。結局、業を煮やしたフェリペから人選を任された重臣サンティリャーナ侯爵が、軍功を立てる機会があると見れば飛びついてくる貧しい平騎士達を選んで、血縁のビセンテを彼らの隊長に据えることを決めたので、皆、ホッと胸を撫《な》で下ろすことができたのだ。

（できれば、私も断りたかったさ）

だが、ビセンテは黙ってイングランドへと旅立った。彼は悟っていたからだ。皆から一目置かれる人間になりたければ、誰にもできないこと、あるいはやりたがらないことをしなければならない。

（平凡さは罪だ。私は『その他大勢』の中の一人には、決してならない）

サンティリャーナ侯メンドーサ家は大貴族の家柄だが、その経済状態は一族でもまちまちで、大した軍歴も持たない田舎騎士の父ミゲルに養われていたビセンテの家族などは、日々の暮らしにも事欠くほどだった。

（そう、共にイングランドにやってきた平騎士と何ら変わるところがない。私の家も貧しかった。マリアが病気にかかったときも、良い医者に見せることも叶《かな》わず、ただ死んでいくのを見守ることしかできなかったほどに……）

すぐ下の妹だったマリアはとても素直な子で、くるくるの巻き毛と明るい笑顔が愛らしく、ビセンテのお気に入りだった。そのマリアを失った瞬間、ビセンテの心には決して癒《い》えない傷が刻まれたのである。

(私は生粋のスペイン人だからな。愛するときも、憎むときも、そして悲しみに暮れるときも、ほどほどで抑えることなどできはしない)

彼はシャツの上から胸元に下がるロザリオに触れた。それにはマリアの巻き毛を飾っていたリボンが結びつけてある。

(いつも、おまえのことを思っているよ。これは天国にいるおまえと私を結ぶ『よすが』だ。私がこの世を去るとき、おまえの傍に迷わず行けるように。その日まで、私のことを見守っていてくれ)

ビセンテは冷たくなったマリアの亡骸《なきがら》を見つめながら、才もなく、面子《メンツ》ばかりにこだわる父を軽蔑《けいべつ》し、自分はああはならぬと堅く誓った。力を持たねば、愛する者を守ることはできない。ならば、何としても強くなるのだ。

(私の財産はこの身と侯爵家に連なる血筋だけ——それを与えてくれたことについては、父上に感謝しよう)

王宮に上がり、絶大な勢力を誇るサンティリャーナ侯に会って、彼は悟った。権力はそれを持つ者にしか分け与えることはできないということを。つまり、ビセンテが宮廷で頭角を現わしたいと思えば、どうしても侯爵のような人間の引き立てが必要なのだ。

（侯はあまり私情に流されない類の人間だが、それでも赤の他人よりは目をかけて下さるし、引きたてても下さる。あの方の信頼を得るためなら、私は何でもしよう。結局、それが自分のためでもあるのだ）

ビセンテは幸運だった。今のように平和とは程遠い時代ならば、何も持たない青年でも己れの才覚一つで名を上げることができる。内陸のレイノサに生まれ、海など見たことがなかったビセンテが、欠員補充の募集に応じて海軍士官になる道を選んだのも、決して考えなしにしたことではなかった。伝統ある陸軍で出世するのは、ヴァチカンの高位聖職者になるのと同じぐらい難しい。ビセンテは父ミゲルの姿を見て、それを思い知らされていた。なにしろ騎士の数が多すぎるので、ひとかどの地位に到達するまでに時間がかかりすぎるのだ。それは野心溢れるビセンテのような人間にとって耐えられない悠長さだった。

（その点、歴史の浅い海軍は競争が緩やかだ）

ビセンテは二十六歳だが、すでにガレー船『サン・サルヴァドール号』の航海長を任されている。一、二年のうちに、さらに軍備が増強されれば船長に昇進することも夢ではない。これが陸軍だったら、まだ小隊長にもなれないだろう。

（老朽しているがサン・サルヴァドールはまずまずの船だし、船長のアロンソ・デ・ルイス殿から学ぶことは多い。海のことなど全く知らなかった私が、曲がりなりにも船を走らせられるようになったのも、船長が手取り足取り教えてくれたからだ）

最初は「レイノサ生まれで、泳げもしない男が、なぜ船乗りになろうなんて勘違いを起こしたんだ」と呆れていたアロンソだが、ビセンテが偉大な航海者、アメリゴ・ヴェスプッチの出身がフィレンツェであることを思い出させると、「ヴェスプッチのような船乗りになれると本気で信じてるのか?」とさらに呆れ、それきり何も言わなくなった。おそらく、自分の図々しさと目標の高さに感じ入ってくれたのだろうと、ビセンテは勝手に思っている。努力の甲斐《かい》あって、今やビセンテは魚のように巧みに泳ぐこともできるし、若手の中では優れた船乗りだという評判も得ている。

〈勘違いなどではない、私の選択は間違っていなかったのだ〉

ビセンテは誇らしく思った。彼は海軍に愛着を感じているし、責任ある立場を与えられていることにも感謝している。だが、何よりも、彼は海に出ることが楽しくてたまらなかった。

〈それは未知の世界に繋がっている。どこまでも広大で自由だ〉

たぶん、初めて目にした瞬間に、ビセンテは海に恋をしてしまったのだろう。その気持ちがあまりにも強いから、陸の上にいる美しい令嬢達がどれほど彼に思いを寄せても、ビセンテは振り返る気になれないのだ。

〈海は美しい反面、危険な世界だ。彼女達も生きて戻れる保証のない男を恋人にするのは辛《つら》いだろう〉

ビセンテはつれなくされた女達が、自分のことを『アキレウス』と呼んでいることを知っていた。古代ギリシアの英雄にして海賊、美しい女と平穏無事に暮らすよりも男と共に戦うことを愛した男だ。実のところ、彼はその密《ひそ》かな渾名《あだな》を気に入っていた。先のことは判らないが、今のビセンテが求めているものも平和な家庭ではなく、血湧き肉躍る戦いの場だったからだ。

（そこに赴く日も近い。陛下が宣言通り、イングランドに襲いかかるなら……）

いっそ、待ち遠しいぐらいだと、ビセンテは思った。これまで世界に冠たる無敵艦隊に挑戦しようとする国はなかったので、海軍が活躍する機会は少なかったからだ。しかし、一方では、それが彼の心配事でもある。確かに、最強と目されていたトルコ海軍をレパントで破って以来、スペイン艦隊は諸外国から無敵と恐れられている。だが、本当に軍としての体裁が整ったのは、フェリペがポルトガルを併合し、あの国の艦隊を自分の海軍に組み込んでからだった。船の数だけが急激に増えてしまい、水夫だけではなく、彼らに命令を下す士官も足りなくなってしまったからこそ、船上経験のないビセンテも易々《やすやす》と海軍に潜り込むことができたのだ。

（どうやら、人手不足はまだ続いているらしい。その証拠に、陸軍には星の数ほどの名将達がおいでになるが、我が海軍にはサンタ・クルズ侯爵閣下しかおられないではないか）

ビセンテが特に危惧《きぐ》しているのはその点だった。この老総司令官にもしものことがあれば、無敵艦隊はどうなってしまうのか。未だ矍鑠《かくしやく》としているサンタ・クルズ侯爵には、後進に道を譲ろうという気は、これっぽっちもないようだ。おそらく、自分の権益を横取りするかもしれないという可能性のある将官など、育てる気にはなれないのだろう。だが、たった一人の人間に権力が集中しているというのも考えものだった。いざというとき、彼に代わる人間がいないからだ。

（だが、陛下も海軍のことに関しては、侯爵の言いなりだ。艦隊の規模が拡大すれば、それを思うように配置したり、指揮を取ることが難しくなるのは自明の理なのだがな。恐れながら、陛下が侯と同等の能力を持つ人材を探そうとなさらないのは、あまりにも不用心でいらっしゃるように思える）

ビセンテは溜め息をついた。エル・エスコリアル宮殿の薄暗い執務室から、『陽の沈まない帝国』を支配しているフェリペは基本的に思索の人であり、行動の人ではない。彼は臣下から寄せられる報告書に基づいて状況を判断し、政策を組み立てていた。問題は厳格な身分制度に支配されるスペイン宮廷では、王に直接話しかけることを許されているのがごく一部の人間に限られるということだ。だから、彼らが誤った見解を伝えれば、自然と王の判断も狂ってきてしまう。どこが間違っているかも判らないままに——ビセンテはそのことを恐れた。己れの失態が原因で命を落とすのであれば諦めもつくが、他人の過失で殺されてはたまらないではないか。

（我が国では偉くならなければ、まともに生き残ることもできないようだ。そして、偉くなるためには手柄、それも目覚ましい手柄を立てなければならない。プリマスへの偵察行は得点になるか……いや、無理だな。メアリー様で重ねた失点が多すぎる）

ビセンテは苦笑いを浮かべると、港に繋留《けいりゅう》されている船に改めて視線を向けた。直接の手柄にはならないかもしれないが、この下調べは必ず役に立つはずだ。いずれ、近いうちに。

「さて、どれが『悪魔の竜《エル・ドラゴン》』のものか……」

ビセンテはぽつりと呟く。彼が摑んだ情報によれば、その二つ名を聞いただけでスペイン人の子供達が震え上がると言われている残忍な海賊フランシス・ドレイクは、スペイン領西インド（パナマなどカリブ海沿岸地域）に遠征し、思う存分暴れ回ったあげく、現在は母港であるプリマスに帰っているはずだ。ビセンテは彼の肖像画を目にしたことがあるが、できれば本物を見てみたかった。

（絵の中の彼はエリザベス好みの細面の優男だった。やはり海賊のウォルター・ローリーと同じく、彼女の愛人を務めているという噂《うわさ》は本当だろうか。だとすれば、趣味の悪い奴だ）

メアリー贔屓《びいき》のビセンテは、どうしてもエリザベスに対する点数が辛くなる。だが、平凡な男には到底かなわないほど大胆な女だということは、彼も認めていた。旧教でも、新教であっても、結婚もせずに自分の寝台に男を招き入れるような女は『淫婦《いんぷ》』と誹《そし》られても仕方がない。

ちょっと前ならば、魔女として火あぶりにされていたところだ。メアリー・スチュアートが祖国を追い出されることになったのも、すでに別の女と聖なる結婚の誓いを立てていたボスウエルという男と火遊びをし、臣下の軽蔑を買ったためだった。だが、エリザベスは同じように妻を持つ『男達』を愛人にしているのに悪怯《わるび》れた様子を見せないし、誰にも文句を言わせない。

（たぶん、エリザベスには他人を捩《ね》じ伏せることができる強さがあるのだろう。気に入らなければ、敢然と拒否する意志が。しかし、メアリー様にはその力がなかった。だから、あの方は男達に利用されてしまったのだ）

ビセンテは溜め息をつく。確かに、エリザベスは大した女かもしれない。しかし、女としてエリザベスを愛することは難しい。いずれにせよ、イングランド女王を舐《な》めてかかるのは危険だった。欧州一の勢力を誇るスペイン王に平然と楯突《たてつ》くような人間は、物事の道理を弁《わきま》えぬ馬鹿か、恐るべき胆力の持ち主のどちらかだからだ。

「我が国の船に比べて、だいぶ小さいな。まさか、建造費を節約しているとも思えんが……」

ビセンテは船に注意を戻すと、少し驚いたように呟く。スペイン艦船の建造を任されているのが総司令官のサンタ・クルズ侯であるように、英国の造船計画は海戦の第一人者と目されているドレイクが監督しているという話だった。

（彼がわざわざ小型船を造ったとすれば、そこには何らかの理由がある）

ビセンテは暗くなってきた海と船とをまじまじと見比べた。そして、瞳を輝かせる。

「そうか……この付近は波が荒い。大型船を操作するのは難しいのだろう」

つまり、それはスペインのガレー船やガレオン船も不利だということを意味する。ビセンテは顔を引き締めた。これは、ぜひともサンタ・クルズ侯に伝えなければならない。彼はさらに深い闇が降りてくるのを待って港に近づき、船体が水中にどれだけ潜っているかを示す喫水線の位置を確かめることにした。

（やはり、丘の上から眺めているだけでは判らないことが多すぎる）

そのとき、湾の真ん中に浮かんでいる島の陰から一隻のスループ船が現われた。どうやら、こちらの港に入ろうとしているらしい。すると、黙って見守っていたビセンテの耳に、ふいにドン、ドン、ドンと太鼓を連打する音が届いた。

「まさか……！」

ビセンテはハッとする。ドレイクには愛用の太鼓があって、敵船——つまり彼にとってはスペイン船に襲いかかるとき、それを独特の拍子で打ち鳴らすという話を思い出したのだ。

（では、あの船にドレイクが？　戦闘開始の合図以外にも太鼓を打つのか？）

自分でも意識しないままに、ビセンテは足を動かし、港に向かっていた。見たい。ドレイクを見てみたかった。もし、本当にそこにいるのなら。彼は憎い敵だが、同時に海に生きる者にとっては伝説的な存在でもある。

（初めて世界周航を目論《もくろ》んだのはポルトガルのマゼランだ。しかし、彼は航海の途中で死んでしまった。同行したセバスチャン・デル・カノが彼に代わり、船長となって戻ってきたが。その点、ドレイクは二番目に世界周航を目論んで、初めてそれを完遂した船長だ）

ビセンテは海を知り、航海の厳しさを知るにつれ、ドレイクという男に対する興味を抑えることができなくなっていた。一体、どのような男なのだろうか。本当にヨーロッパ中に出回っている肖像画のように神経質そうな顔をしているのか。容貌はともかく、およそ三年にも及ぶ航海に耐えたのだから、体つきは屈強なのではないだろうか。

「……っ！」

だが、次の瞬間、ビセンテは走りだしたときと同じぐらい唐突に足を止めた。程近い場所に、彼以外の人間がいることに気づいたからだ。

（油断していた……気配を感じられなかったから）

その理由はすぐに判明する。『それ』は十二、三歳ぐらいの少年で、丘の斜面に生えた灌木《かんぼく》の中で昼寝をしていた。ビセンテは臍《ほぞ》を噛《か》む。確かに、眠っていれば気配はしない。

（いや……違う）

すぐにビセンテは自分の思い違いに気づいた。その少年は顔や首筋、剝《む》き出《だ》しになった腕など、身体のあちこちに擦り傷を負っていたのだ。まるで丘の上から乱暴に放り出され、転げ落ちたように。

（寝ているのではない。気を失っているのだ）

ビセンテはしばらく待って、確実に意識がないことを確かめてから、そろそろと少年に歩み寄る。そして、傍らに膝をついて、その容貌を細かく観察した。

（なんと面妖《めんよう》な赤い髪だ。そのくせ、眉毛や睫毛《まつげ》は黒い。この黄味がかった肌の色から考えるとトルコ人か？　いや、顔立ちが違うな）

とにかく、イングランド人ではないことだけは確かだった。ビセンテはさらなる手がかりを求めて、少年の衣服に目を向ける。そして、思わず口走った。

「一体、これは何だ……?」

少年は美しい花柄が描かれているボタン付きのチュニックを着ていた。それは、まだいい。問題は、彼のほっそりとした足を包んでいる衣服だった。

(何だ、この布地は……全く見覚えがないぞ)

ビセンテはそっと布地に触れ、それが異常に堅いことを知って驚いた。まるで船の帆のようだ。よくも、こんなゴワゴワしたものを身につける気になれるとビセンテは呆れた。彼はさらに視線を下げ、少年が裸足であることに気づく。すんなりとした足指にはマメ一つなかった。つまり、ある程度、恵まれた暮らしをしてきた証拠だ。

(もしかしたら、イングランドにやってきた外国の使節かもしれないな。ここに転がっているのは、何らかの陰謀に巻き込まれたからで……)

使節——ふと、ビセンテの脳裏に一つの記憶が浮かび上がってきた。数年前、フランシスコ修道会の僧達に引き連れられ、海を越えてやってきた遠い異国の少年達の姿を思い出したのだ。

(そういえば、彼らはこの少年と同じ肌の色をしていた。王宮へ向かうパレードのときに見ただけだから、顔立ちが似ているかどうかは判らないが……)

少年使節達はたどたどしいラテン語で偉大なカトリックの保護者であるフェリペに拝謁した喜びを語り、ヴァチカンに行って法王から神についての教えを乞い、そこで学んだことを祖国の人々に伝えたいと訴えて、敬虔なフェリペを感動させたという話をビセンテは人づてに聞いていた。

（ハポン……そう、彼らはマルコ・ポーロが『シパング』と呼んだ島国から来たという話だった。では、この少年も『ハポンの人間《ハポネス》』なのか？）

ビセンテは眉を寄せた。しかし、本当に彼がハポネスだとしても、まだ疑問は残る。使節達によれば、彼らの国はフランシスコ修道会の布教のおかげでカトリックを信仰しており、交流を求めるキリスト教国もスペインとポルトガルだけという話だった。ならば、なぜ、この少年は新教徒の国であるイングランド、それも人気《ひとけ》のない丘の上で気を失っているのだろうか。

（スペインに向かう航海の途中でイングランド人の海賊どもに攫《さら》われ、否応なしに連れてこられたのだろうか。そう、『黄金の国ジパング』から来たと判れば、貪欲《どんよく》なイングランド人どものことだ、この少年に無理矢理ハポンまでの道案内をさせようと考えるかもしれない。彼はそれを嫌い、隙《すき》を見て逃げ出したものの、ここで力尽きて倒れてしまったのではないだろうか）

だとすれば、彼の逃亡が発覚した途端、追っ手がかかる可能性もあった。ビセンテは素早く周囲を見渡し、それから少年の肩を揺すった。

「おい、大丈夫か？」

「う……ん」

少年が低く呻《うめ》き、瞼を震わせた。

どんな事情があるにせよ、ビセンテは傷ついていたり、病に冒されている者を放置することはできなかった。ぐったりと横たわり、青ざめた顔をしている人間は、たとえ性別が違っても、皆、妹のマリアのように見えるのだ。すると、ビセンテは今度こそ命を救ってやらねばという気になってしまう。

「起きられるか?」

ビセンテは少年の両脇に腕を差し込み、灌木の中から抱き起こしてやった。すると、少年がゆっくりと目を開け、ぼんやりとビセンテを見上げた。

「ダレ……あんた、誰《フー・アー・ユー》?」

彼は意味不明の言葉を呟き、次いで英語を使った。だから、ビセンテも用心のために英語で答える。

「ヴィンセントと呼べ。おまえは?」

眩暈《めまい》を感じているのか、少年の視点は定まらなかった。ビセンテには見えない白日夢を追いかけているように、ほとんど漆黒に見える瞳が左右に揺れる。それでも彼はちゃんと名乗った。

「カイト……カイト・トーゴー」

段々と正気づいてきた少年は身を縮め、ガタガタと震えだす。

「寒い……」

「その格好ではな」

「七月なのに……」

「何を言っている。まだ春も終わっていないぞ」

ビセンテはカイトを横抱きにすると、ゆっくりと地面に腰を下ろした。そして、自分のマントでカイトの華奢《きゃしゃ》な身体を覆ってやる。

「まだ寒いか?」

首を振ったカイトは、たったそれだけの動きで気分が悪くなってしまったらしく、ビセンテの胸元に左の側頭部を押しつけて脱力した。

「吐きそ……」

「我慢しなくていいぞ」

「服を……汚しちゃ悪い」

「気にするな。汚れたら、洗えば済むことだ」

カイトは先程よりもしっかりした顔つきで、ビセンテを見上げた。

「ありがと……優しいね」

「どちらも懐かしい言葉だ。長いこと聞いていなかった気がする」

ビセンテは茶化すように言った。面と向かって感謝されるのはきまりが悪かったが、悪い気はしない。

彼の照れを感じ取ったカイトが、悪戯っぽく微笑《ほほえ》んだ。

「もっと言ってあげようか?」

「結構だ」

ビセンテは苦笑し、改めて子鹿のように無垢《むく》で、傷つきやすそうなカイトの瞳を見つめた。

（黒と緑――色こそ違っているが、どこかマリアの瞳に似ている。そう、熱を帯びた手で私に触れ、「一人は怖いから傍にいてね」と言ったときの瞳に……）

そう思った途端、ビセンテは余計にカイトから目が離せなくなってしまった。すぐに感傷的になるのは、スペイン人の悪い癖だ。

（彼もマリアのように怯《おび》えている。一体、何が怖いのだろう? 理由は判らないが混乱しているようだし、何だか哀《かな》しそうだ）

ビセンテはそんなカイトの顔を見ていると、ぎゅっと抱き締めて、何も心配することはないと慰めてやりたくなる。普段は心の奥底に隠されている感情が、堰《せき》を切ったように溢れだしていた。カイトに優しくしてやりたい。一緒にいて、可愛がってやりたい。初めて出会った少年に対して、強い愛着を覚える自分にビセンテは困惑した。その瞳が妹のものに似ているという理由だけでは、説明できない気がしたからだ。

（では、他にどんな理由があるのだろう?）

それを探して、ビセンテは再びカイトに視線を向けた。すると、彼が黒い瞳に魅《ひ》かれたように、カイトもビセンテの鮮やかな緑色の眼に見入っているではないか。そのポカンとした表情がおかしくて、ビセンテはつい口元を緩めてしまった。

「おまえ、ハポネスだろう？」

英語では何と言うのか判らないので、ビセンテは国の名だけはスペイン語の単語を使った。

すると、赤い髪の少年が思いがけないことを口にする。

「はい《シ》。私はハポネス《ソィ・ハポネス》です」

ビセンテは驚いた。

「スペイン語も話せるのか？」

「挨拶《あいさつ》ぐらいね。ジブラルタル出身の奴に習って……」

「他には？」

「フランス語を少し。選択で取ってるから」

ビセンテは戸惑った。選択とは、どういう意味だろう。

「教えたのはどこの国の人間だ？」

「フランス人」

「英語は？」

「もち、イングランド人。セント・クリストファーはネイティヴによる語学教育がウリなの」

カイトはときどき意味の判らない言葉を話す。ビセンテは眉を寄せた。ネイティヴ――『そこに住んでいる人間』という意味で言っているのだろうか。それに、聖クリストフォロスと語学教育にどんな関係があるのだろう。いや、そんなことよりも、ビセンテには気になることがあった。

「ハポンにイングランド人はいるのか?」

「うん。いるよ、いっぱい」

「なんと……」

ビセンテは唇を噛み締めた。聞き捨てならない話だ。イングランド人とフランス人は西インドだけでは飽き足らず、太平洋にあるスペインの縄張りまで荒らそうとしているらしい。

(ハポンはまだ領土ではないが、いずれ、そうなるかもしれない。イングランドに横取りされてたまるものか)

ビセンテはさらに話の核心を突くことにした。

「おまえがこの国に来たのはいつだ? いや、まず、おまえがこの場所にいる理由を教えてくれ。どうやってハポンから来た? おまえの乗ってきた船が、狼《おおかみ》のようなイングランド海賊に掠奪《りゃくだつ》されてしまったのか? それとも、自ら進んで来たのか?」

カイトは立て続けの質問に慌てた顔になり、ビセンテを押し止めようとして両手を上げた。

「マ、マッテ! ア、チガウ、待って《ウェイト》!」

ビセンテは微笑んだ。マッテ。初めて聞く響き。どうやら、それがハポンの言葉らしい。気を抜くと、つい口を突いてしまうのだろう。

「順番に答えさせてよ。えーと……」

だが、改めて返事をしようとしたカイトは、次の瞬間、顔を強ばらせ、辺りを見回した。

「どうした?」

ビセンテはその表情に不安を覚える。

「ここ……どこ?」

「判らないのか?」

「うん」

「誰かに連れて来られたのか?」

「知らない……気がついたら、目の前にあんたがいたんだ」

一体、どんな事情があるのだろうか。ビセンテは戸惑いながらも、教えてやった。

「ここはプリマスだ」

カイトはぼんやりと呟く。

「プリマス……」

「今まではどこに住んでいた?」

「ずっとロンドンだよ」

ビセンテは眉を寄せる。

「ずっと？　どのくらい？」

「約九年……かな」

ビセンテは驚いた。

「まさか！　それでは、おまえの国の使節がスペインに来る前ではないか」

「使節？　何の……痛ッ」

カイトがこめかみを押さえるのを、ビセンテは心配そうに見守った。どうやら、頭痛がするらしい。

「フランシスコ修道会の僧がハポンの少年達を連れてきた。キューシューという土地の貴族が、法王に神の教えを乞う親書を彼らに託して派遣したのだ。イングランドでも噂ぐらいは聞いているだろう？」

カイトは首を振った。

「知らない」

「では、おまえはどうやってイングランドに来た？」

「親と一緒に……」

ビセンテは眉を吊《つ》り上げる。またもや意外な話だった。

「彼らはどこにいる？　そこで何をしているのだ？」

また吐き気が込み上げてきたようで、カイトは胸元を擦る。

「仕事……だよ」

「どんな?」

カイトはビセンテを見上げて、弱々しく訴えた。

「気持ち……悪い……頭も痛いし……」

「判った。少し休め」

ビセンテは再び自分の胸元にことりと頭を預けた少年を見つめる。まだ喪神状態から立ち直っていないようだ。気絶していた理由は定かではないが、どうやら頭を強く打ちつけているらしい。ビセンテは、帆柱の桁《けた》から甲板に墜落した船員が、幸い命に別状はなかったものの、カイトのようにフラフラ状態になっているのを見たことがあった。

「私も何が何だか、訳が判らなくなってきた。おまえをロンドンから連れ出し、この丘の上に放り出していった者の目的は何なのだ?」

ビセンテの言葉に、カイトが顔を上げた。

「丘……?」

鸚鵡返《おうむがえ》しに呟いたカイトの瞳が、次第に大きく見開かれる。

「ホーの丘……!」

ビセンテは身を乗り出した。

「何か思い出したのか?」

カイトはそれには答えず、ビセンテの胸に手をつき、思いきり腰を捩った。彼の身体を覆っていたマントが外れ、ビセンテの掌《てのひら》は再び剥き出しになった腕に一気に鳥肌が立ったのを知る。

「どうしたんだ、急に?」

カイトはビセンテの問いかけを無視したまま、彼の服装を凝視して聞いた。

「今は何年……? 何年の何月?」

不審に思いながらも、ビセンテは答えてやる。

「主の誕生元年《アンノ・ドミネ》から数えて千五百八十七年と三ヵ月だ」

「千五百……」

カイトの顔に衝撃が走り、彼はそのまま仰向けに倒れそうになった。

ビセンテが慌ててその身体を支える。

「おい!」

カイトは熱に浮かされたように呟いた。

「あ……あのとき、ドレイクの太鼓が鳴って……俺は……手を伸ばした……」

ビセンテはその言葉を聞き咎《とが》めた。

「さっき鳴った奴か? やはり、あれはドレイクの太鼓なのか?」

カイトがビセンテを見る。

「あんたも聞いたの？」

「ああ」

「イングランドに敵が近づくと鳴るんだ」

カイトは何かに憑かれたように呟く。

「敵は誰？　俺？　それとも、あんた？」

彼は何を知っているのだろう。言葉に詰まったビセンテは、それをごまかそうとしてカイトの身体を乱暴に抱き寄せた。

「長い話になりそうだな。だが、こんな寒空の下にいつまでもいれば風邪を引く。続きは私が泊まっている宿で聞こう」

「嫌だ」

カイトはビセンテを押し退けようとする。

「正体の判らない奴についていけるかよ」

「それはお互い様だろう」

カイトは何かを振り切るように激しく首を振った。

「俺は何も隠してない！　カイト・トーゴー。十七歳。二十一世紀から来たハポネスだよ」

「世迷い言を！　二十一世紀だと？」

「そうだよ！　『トンネル』を通ってきたんだ！」

ビセンテがカイトを凝視する番だった。もしかして、カイトは狂気に陥っているのだろうか。

「違うよ。ここは正常だって」

カイトは自分の側頭部を人差し指で突いた。今度も敏感にビセンテの心情を読んだのだ。

「本人も信じられないんだから、あんたが信じてくれなくても仕方ねえけど……でも、本当なんだ。俺は未来から飛ばされてきた。なんでかは判んねーけど、俺の住んでた世界からこっちの世界へ通じる穴に落ちちまったんだ。その穴がトンネル！　もしくは導管《チャンネル》」

ビセンテは首を振る。一見まともそうだが、間違いなくカイトは狂人だ。それでは話に辻褄《つじつま》が合わなくても仕方がない。

「嘘じゃねーって！」

カイトは苛立って言い募った。

「その証拠に、来年、ここで何が起こるかも知ってるぜ。ついにフェリペが重い腰を上げて、スペインの無敵艦隊が攻めてくるんだ」

カイトの腕を摑んだビセンテの腕に力が籠もる。

「……何だと？」

「そうさ。サンタ・クルズ侯が死んで、メディナ・シドーニア公が総司令官になってね」

「あの公爵閣下が海軍を指揮する？　ありえない……！」

ビセンテは思わず哄笑《こうしょう》を迸《ほとば》しらせた。一瞬、真剣に耳を傾けた自分が恥ずかしい。

「でも、そうなる」

カイトは頑迷に言い張った。そして、この世に存在する神秘の全てを心得ているような瞳で、ビセンテを見つめる。

「さっき、『あの公爵』って言ったよね？　あんたはメディナ・シドーニアのことをよく知ってる。よく見れば、顔立ちもスペイン人そのもの……イングランドの敵はあんただったんだ」

ビセンテは臍を噛む。つい、油断して、口を滑らせてしまった。

押し黙った彼に、カイトは静かに言う。

「あんたは親切にしてくれたから、忠告しておくよ。今度の戦争では船に乗らない方がいい。海の藻屑《もくず》になりたくなければ……」

何という侮辱！　頭に血が上ったビセンテは、思わずカイトの首を締め上げた。

「黙れ、小僧！」

「ぐ……っ」

「たわけたことを……我が軍がイングランドごときに破れるはずがない！」

カイトは切れ切れの息の下から、なおも言い募った。

「こ、この国にはドレイクがいる……ホーキンスも……っ。スペインには……だ……誰もいない。シ……ドーニアは……海を……知らな……」

「黙らぬか……っ！」

ビセンテはカイトの首を掴んだまま、彼を揺さぶる。そして、カイトがぐったりしていることに気づくと、己れのしたことに怖気《おぞけ》をふるった。

（弱っている者に対して、私は何という非道な真似《まね》を……！）

ビセンテの胸に激しい後悔の念が押し寄せてくる。ただでさえ本調子ではなかったカイトは、首を絞められたショックで再び朦朧《もうろう》としていた。

「すまない……」

カイトの身体をそっと抱き締めて、ビセンテは呻く。

（謝って済むことではないな。とにかく、カイトを介抱してやらなければ……この子の容貌は私よりも目立つから、宿屋の主人に気づかれぬように部屋に運ぶ必要がある。イングランドの誇る秘書長官殿の手下に追われている身としては、少しでも目立つことは避けたい）

有能なウォルシンガム――――ビセンテは苦々しさを噛み締めながらも認めた。スペインにもあのような臣下がいれば、どれだけフェリペ王は助かるだろう。ドレイクやホーキンスのような男達がいれば、スペイン海軍も安泰だ。

「スペインには誰もいない……」

カイトの言葉が、ビセンテの脳裏に生々しく蘇る。つい先程まで、彼も同じく人材が不足していると思っていただけに、その指摘は痛かった。だが、不思議なのは、この年端もいかない少年が、なぜそれを見抜いているのかということだ。それに、スペインの重臣達について詳しいのも気になる。

（まるでヒターノの占い師のように、全てを見通しているようだ。未来の人間というのは単なるおふざけとしても、未来に起こる出来事を知る術《すべ》を持っているのかもしれない。東洋の魔術のようなものを……）

ビセンテは思い出した。エリザベス女王は、フランスの王太后カトリーヌ・ド・メディシスと同じぐらい熱狂的な占星術狂だということを。カトリーヌはノストラダムスという予言詩を操る医師を重用し、エリザベスも数年前までジョン・ディーという数学者にして神秘家を王室専属の占い師として抱えていた。

（もしかしたら、カイトの家族はディーの後釜《あとがま》なのかもしれない。女王から相談を持ちかけられている人物であれば、スペインの要人のことを知っていても不思議はない。カイトは父親から話を聞かされているのかも……そして、あまりにも深く知りすぎたゆえに、陰謀に巻き込まれ、こんなところまで拉致《らち》されてしまったとか……？）

ビセンテはそんな推測を立ててみた。だが、本当のところは、当人の口から聞くより他はない。

（問題は正直に話してくれるかどうかだな）

物思わしげな緑の瞳が、腕の中の少年を包み込む。カイトに対する興味は強くなる一方だ。

先程はつい激高して、話の腰を折ってしまったビセンテも、今度は最後まで聞き届けるつもりだった。彼の言葉はビセンテにとって決して快いものではないが、つい耳を傾けずにはいられない何かがある。その全てが正しいとは思わないが、一片の真実を含んでいるように感じられるのだ。

(これも私の勘という、はなはだ不確実なものに過ぎないが。とにかく、話の続きが楽しみだ。スペイン人にとっては不吉な予言であっても……)

そこでビセンテは思い直した。

(いや、必ずしもそうとは限らないか。問題点が判っているのであれば、それを回避するための対策を練ることができる。却《かえ》ってカイトの予言は我が国に幸運をもたらしてくれるかもしれないではないか。もしかしたら、彼が私の足元に倒れていたのは、この少年をスペインの役に立てよという神の思召《おぼしめ》しなのかもしれないぞ)

ビセンテは微笑んだ。イングランドに潜入している間、彼は任務遂行に必要な人間以外との接触を自らに禁じてきた。つまり、カイトに声をかけたことは、明らかな規定違反だと言える。だが、それも『国益のため』であれば、致し方ないのではないだろうか。ビセンテはカイトの面倒を見る正当な理由を見つけたのだ。

(決して悪いようにはしない。だから、私と一緒に来てくれ、カイト)

ビセンテは少年を抱いたまま軽々と立ち上がり、丘の上に向かって歩きだした。だが、その行く手から賑《にぎ》やかな話し声が聞こえてきて、彼はサッと顔を強ばらせる。

ビセンテは素早く身を翻すと、カイト共々、近くの窪地《くぼち》に身を隠した。

（今度は何者だ？）

「誰もいねえぞ」

「本当に怪しい野郎が立ってたのか？」

「船楼からマックが見たっていうんだから間違いねえ。黒ずくめの男なんだとさ」

「通りすがりの旅人じゃねえのか？」

「そんな奴が、道を外れて丘の上まで来るかよ？」
四、五人の集団だ。ビセンテは唇を噛み締める。どうやら港を偵察していた彼の姿を、船の上から見ていた者がいるらしい。もしかしたら、先程のスループ船かもしれなかった。
「手分けして探そうぜ。俺とビリーはあっちの林を探す」

「じゃ、俺らは下を見てみるぜ」

「まったく、人騒がせな野郎だ。見つけたら、ただじゃおかねえ」

「捜し当ててみたら、うちのお頭だったりしてな。新しく仕立てた服を斬新《ざんしん》な方法でお披露目したかったとか」

男達はドッと笑い出す。

「ありえる話だぜ」

「目立つのが好きな人だからな」

「要するにガキなんだよ。今だって、行き先も言わずに雲隠れしちまって。まったく、どこをほっつき歩いているんだか……」

「歩いてねーよ。どうせ、女の股座《またぐら》の中さ」

「でなきゃ、例のカワイイ娘役に乗っかってるか」

オーッと冷やかしとも非難ともつかない声が上がった。

「おお、神よ！　我らがジェフリーを許したまえ！」

足音が一段と近くなる――ビセンテの背を冷汗が伝った。このままでは捕まってしまう。彼は腕の中で眠るカイトを見下ろした。今の状況では、どう考えても一緒に連れていくのは不可能だ。ビセンテ一人だったとしても、上にいる男達の目を掻《か》い潜《くぐ》って逃げるのは難しいだろう。

(置いていくしかないのか……)

カイトの正体。彼が口にする謎めいた言葉――気になることは山ほどある。しかし、今のビセンテにとっては、まず自分が逃げのびることが先決だった。宿敵であるイングランド人の捕虜になること以上に屈辱的、かつ危険なことはない。

「許してくれ……」

ビセンテは窪地の中にそっとカイトを横たわらせると、追跡者に聞きつけられないよう耳元で囁《ささや》いた。

「置いていくのは忍びないが、こうなっては仕方がない。血も涙もないイングランドの海賊どもがおまえにどんな仕打ちをするか判らんが、あまり酷い目に遭わされないことを祈っている。縁が……そう、縁があれば、また逢おう」

彼は言い終わると、カイトの頬をそっと撫でた。未練は残るが、グズグズしてはいられない。ビセンテは追っ手に見つからないように、身を屈《かが》めたまま丘を下っていった。そして、発見される前に何とかこんもりとした灌木の陰に滑り込んだ彼は、ふいに頭上で上がった叫び声に身を堅くする。

「おい……誰かいるぞ！　ガキだ！　ガキが倒れてる！」

「怪我をしてるみてぇだな」

「例の黒ずくめの男にやられたのか？」

「とりあえず、医者に見せたら？　正気づかせないことには、話も聞けやしねえ」

「そうだな。よし、残りの捜索は林の中にいる奴らに任せよう。俺らはこいつをトマソン先生の所に運ぶんだ」

男達の一人がカイトの身体をずた袋のように担ぎ上げる。そして、来たときと同様、賑やかに去っていった。

間一髪の危機をやり過ごしたビセンテは目を閉じ、深い溜め息をつく。そして、もう一度、あの謎めいた少年の無事を祈った。

4

「ん……っ……だめ……ジェフリー……あ……そこはだめだって……痕《あと》がついちゃう……っ」

長い褐色の毛を振り乱し、シリル・モーズリーが甘えた声を上げる。『レスター伯一座』の少年俳優で、慎ましやかな村娘役から高貴な姫君役までを自由自在に演じ分ける彼が、ベッドの上で得意としているのは、聖職者なら鼻血を噴いたまま昏倒《こんとう》するほど罪深く、艶《つや》っぽい娼婦《しょうふ》役だった。

「おとなしくしてな。色気のあるお姫様にしてやろうっていうんだ」

「今夜の役は清らかな水車小屋の娘だもん。処女がそんな痕をつけてたら変でしょ。僕の親方、そういうの、凄《すご》くうるさいの。怒ると怖いんだから」

「おまえこそ、うるさい口の持ち主だ」

少年の首筋に顔を埋めていたジェフリー・ロックフォードは、気怠《けだる》げに首を擡《もた》げるとシリルの柔らかい唇にキスをした。痕さえつかなければ何をされても構わない、むしろ、ジェフリーにならば何をされても嬉《うれ》しいシリルは、逞《たくま》しい男の背中を抱き締めると淫《みだ》らに腰を押しつけた。

そして、口づけの合間に囁《ささや》く。

「あなたのキスってウットリしちゃう……」

「そうか？」

「最高だよ。この素敵な唇……形が良くて、いつも微《かす》かな笑みを湛《たた》えてる。少し思わせ振りで、見ているだけでもドキドキしてくるんだ」

ジェフリーは低く笑った。

「誉めてくれるのは嬉しいが、気に入ったのは唇だけか？」

「とんでもない。平民の船長にしては高貴そうな鼻も、豪奢《ごうしゃ》な金髪もいいよ。でも……」

シリルはジェフリーの頬《ほお》を両手で挟むと、彼の顔をまじまじと見つめた。

「何といっても素晴らしいのはその眼……その晴れた日の海みたいに澄んだ瞳《ひとみ》を見たら、男を誘惑して水の中に引きずり込む残酷で美しいコーンウォールの人魚も虜《とりこ》になっちまう」

「詩人だな、シリル」

「違うよ。僕は男の人魚……あなたの瞳の中で溺《おぼ》れさせて」

「何度でも」

シリルは自分からジェフリーに繰り返し、繰り返し、キスをする。

「顔がいい男って、えてして床のことはド下手なんだけど、あなたは嬉しい例外だったな」

ジェフリーはしたり顔で頷《うなず》く。

「日頃の鍛練の賜《たまもの》だ。生まれもった才能も、それを研《みが》く努力をしなければ宝の持ち腐れだ」

「僕だったら、いつだって練習台にしてくれて構わないよ。ねえ、もう一回、可愛がって……っ」

ううん、メチャクチャにして……っ」

ジェフリーは要望に応えてやることにする。しかし、彼がシリルの足の間に身を進めようとしたそのとき、ふいに寝室の扉が大きく開け放たれた。

「ここにいたか！　お頭、事件だ！」

ダミ声を上げながら入ってきたのは水夫長《ボースン》のルーファスだった。ダートマスから流れてきた大男で、灰色がかった金髪と淡いブルーの瞳の持ち主だ。額や頬骨が発達している顔はゴツゴツと荒削りな印象を与えるが、子供のように表情がくるくる変わるので、無愛想な感じはしない。むしろ、どことなく可笑《おか》しみを感じさせる男だった。

「おっと、申し訳ねえ」

ルーファスはベッドの上にいる二人に目を留めた途端、平坦な声で弁解する。

「こちとら、お取り込み中とは知らねえで」

ジェフリーが溜《た》め息《いき》をついて、少年の身体の上からシーツへゴロンと転がった。

「構わんよ。だが、次は扉を開ける前に合図をしてくれると嬉しいね」

「心得ときます」

お楽しみを邪魔されたシリルが、上半身を起こしながら癇癪《かんしゃく》を破裂させた。

「『お取り込み中とは知らないで』？　フン、しっらじらしい！　一体、ここはどこ？　淫売《いんばい》宿でしょ？　だったら、中にいる人間がしてることぐらい、判ってもいいじゃない！」

ルーファスは肩を竦《すく》めた。

「だから、謝っただろ。俺だって、お頭の愉《たの》しみを邪魔するのは本意じゃねえよ。こう見えて、恋の道には理解があるんだぜ」

「へーえ、本人にはとんと縁がない道みたいだけどね」

ルーファスは腹立たしげに短い息を吐いた。

「趣味を疑うぜ、お頭。こんな生意気な小僧のどこがいいんだ？」

「カラダ」

気怠そうにベッドの上に横たわったまま、ジェフリーは微笑《ほほえ》んだ。

「おまえも寝てみりゃ、判る」

シリルはルーファスに向かって舌を突き出した。

「つまり、あんたには一生判らないってこと。醜い木偶《でく》の坊さん！」

「こ……の、クソガキが〜っ！」

少年に摑《つか》みかかろうとするルーファスに、ジェフリーは言った。

「まともに取り合うから、からかわれるんだ。それより、用件を言え」

「おっと、そうだった！」

ルーファスは真顔になる。

「ちょいと奇妙なことがありまして。お頭が行方をくらましてくれたせいで、もう昨夜《ゆうべ》の話になっちまいましたが、ホーの丘に見たこともねえガキが倒れてたんでさ」

「そいつは大した事件だな」

ジェフリーはうんざりしたように告げると、滑らかな動作でベッドから降り立った。そして床の上に散らばった服を拾い上げ、身につけ始める。暖かいウールのシャツ、絹の靴下と天鵞絨《ビロード》の靴下留め《ガーター》、そして、動き易《やす》いために船乗りが愛用する膝下《ひざした》までの幅広のホーズを。

「だが、俺と何の関係がある？　行き倒れた子供の面倒なら、心優しい尼さんがやってる救護院に任せておけ」

シリルが部屋着として使っている女物の裾《すそ》の長いシュミーズを被《かぶ》りながら、揶揄《やゆ》するように言った。

「もしかして、船長さんの隠し子だったりしてね」

「おまえは黙ってろ。そういうのとは違うんだ」

ルーファスはシリルを制し、ジェフリーに一生懸命、説明しようとする。

「それが見たこともない外国人なんでさ。肌は黄味がかってて、髪はリンゴみてぇに真っ赤、眼はお頭の持ってるマントみたいな黒で……」

ジェフリーが興味を示す。

「それは賑《にぎ》やかな色目だな。顔立ちは？」

「好みもあるでしょうが、まあまあで……」

ルーファスはふと顔を顰《しか》めた。

「それが問題ですかい？」

「ああ。出会ったことを後悔するようなご面相は困る。人生は短い。俺はそれを美しく、快いものだけで飾りたい」

シリルがにっこりする。

「例えば、僕みたいな？」

ジェフリーは軽く腰を折って、少年の唇にキスをした。

「そうだ。己れを知る者は迷いがない。爽快《そうかい》だな」

ルーファスは呆《あき》れたように溜め息をつく。

「俺には嫌味な自惚《うぬぼ》れにしか思えませんがね。それはともかく、そのガキはどこの国の人間か判らねえのに、俺らの言葉をペラペラ喋《しゃべ》りやがるんですよ。問題はその話の内容で」

「何だ？」

「自分が誰だか、思い出せねえそうです。ホーの丘に倒れていた理由も判らねえ」

ジェフリーはシャツの留め金に紐《ひも》をかける手を休め、ルーファスを見た。

「医者に見せたのか？」

「へえ。トマソン先生に。頭にひでェ瘤《こぶ》ができてて、どうも頭を強くぶつけてるらしいんですが、中にはそれが原因で昔のことを忘れちまう人間もいるそうです。先生は一時的なもので、そのうち思い出すかもしれないって話してましたが」

ジェフリーは再び手を動かしながら、独り言のように呟《つぶや》いた。

「思い出すかもしれない……あるいは、忘れたフリをしているのかもしれない」

「忘れた？」

「身元を詳しく詮索《せんさく》されたくない事情があるとか」

ルーファスが厳しい顔つきになる。

「だったら、何としても正体を明らかにしてもらわねえと。どうしても思いだせねえって言うんなら、俺らで突き止めるまでだ。あらゆる手を使ってね。この大事な時期――港の周りを得体の知れねえ輩にうろつかれるのはまずいですからね」

「まあな」

「そもそも、俺らがそのガキを見つけたのも、ホーの丘の上に黒い服を着た不審な男がいるって、マックが言い出したからなんで」

ジェフリーの眼が鋭く光った。

「それも気になるな。もしかしたら、記憶のない坊やと関係があるかもしれない。今はどこにいるんだ？」

「まだトマソン先生の家ですよ」

「よし、話を聞いてみよう」

身形《みなり》を整えたジェフリーは、ベッドの上に片膝を立ててしどけなく座っているシリルを振り返った。

「じゃあな、水車小屋のお嬢さん。今夜も客を悩殺してやれ」

シリルはひらひらと手を振った。

「もちろん、ハンサムな船長さん。その子と浮気しないでね」

「可愛いおまえがいるのに？」

「どうだか」

シリルは肩を竦めた。

「あなたに貞操を求めるのは間違いだってことは判ってるんだ。忠義を捧げたは自分の心のみ。欲しいと思ったものは、必ず自分のものにせずにはいられない。気に入った相手なら、それが尼さんだって押し倒さずにはいられないケダモノだもの」

ジェフリーは片方の眉《まゆ》を上げる。

「おまえは自分だけじゃなく、俺のこともよく知ってるな」

「親方が言うには、役者の修業は人間を観察するところから始まるんだって」

シリルは媚《こび》を含んだ上目遣いの瞳をジェフリーに向ける。

「それで判ったことは、僕はケダモノが大好きだってこと。いい子で待ってるから、無駄玉は使わないで、僕に取っておいてね」

ジェフリーが片目を瞑《つむ》るのを見て、ルーファスが仏頂面で呟く。

「なんと、嘆かわしい……！」

ジェフリーは明るい笑い声を響かせると、美しい雉《きじ》の尾羽の飾りがついた帽子をふわりと頭に載《の》せ、颯爽《さっそう》と淫売宿を後にした。


トマソン医師の家へ向かう道すがら、ルーファスはまだ不満そうにぶつぶつ言っていた。

「……ったく、情けない。あんな色ガキに尻《しり》の毛まで抜かれちまって。天国の親父さんを憤死させるつもりですかい？」

ジェフリーは鼻を鳴らした。

「憤死？ 親父も一度死ねば、もう充分だろうよ。それに天国は清らかすぎて刺激がなさそうだから、結構愉しんでくれるかもしれないぜ」

ルーファスは天を仰いだ。

「お許し下さい、神よ」

ジェフリーは皮肉っぽく微笑む。

「新教、旧教――――聞き届けてくれるのは、どちらの神様かな？」

「は……？」

「一つ、昔話をしてやろう。お題は『呪《のろ》われたロックフォード家』、またの名を『小さな宗教戦争』。おまえはダートマス出身だから、俺の家族に何が起こったか知らないだろう？」

ルーファスは戸惑いながら頷いた。

「え……ええ」

「プリマスじゃ、結構有名な話でね。俺の母親はがちがちのカトリック。父は途中で国教会に転向した。ヘンリー八世陛下のように母と別れ、若い女と結婚するためにな。ところが、そこに前の女王様、血塗《ブラッディ》れメアリーの役人がやってきた。異端の国教徒どもを火あぶりにしてやる、と言ってね」

「ああ、俺も親父から、その頃の話聞いたことありますよ。南部はカトリックが多かったから、国教徒はいつ襲われるかって生きた心地もしなかったって」

ジェフリーは頷いた。

「俺の親父もそうだった。彼は若い女を追い出して、再び母を家に迎え入れた。そうして、嵐《あらし》が過ぎるまでカトリックを装うつもりでね。だが、これで全ては丸く納まるかと思った矢先、愛情を憎悪に変えた母が、親父を『王家に対する反逆罪』で告発したんだ」

ジェフリーは苦笑を浮かべる。

「女の恨みを舐《な》めちゃいけない。父にとっては、ふいに背中に突き立てられたナイフのような驚きと痛手だっただろう」

「そ、そいつぁ……」

ルーファスも言葉を失う。

「父の罪――それはカトリックの女王メアリー一世を廃し、我らがエリザベスを王位につける陰謀に加担していたというものだった」

「本当に関係していたんで？」

ジェフリーは肩を竦める。

「さあ。当然、父は無実を主張した。だが、メアリーの役人はコロコロ信仰を変える彼を信じようとはしなかったんだ。どうせ、生きのびるための虚偽だと思ったんだろう。ことの真相を知っていたのは母と、全てを見通している空の上のお方だけ――なあ、燃え盛る炎の中で、親父はどちらの神に祈ったと思う？」

「ど、どっちって……」

困惑する部下を、ジェフリーは凝視した。

「その信仰のために死ぬ羽目になったというのに助けてもくれない新教の神と、彼を断罪して地獄の業火にくべた旧教の神と……子供の頃から、俺はそれが知りたくてたまらなかった。今もって、謎は解けない。だから、どっちが本当に正しいか判るまで、どちらの神に祈ることも止めているんだ」

「ば、罰当たりなことを口にするのは、お止めなせぇ」

ルーファスは青ざめた顔で囁く。

だが、ジェフリーは気にした様子もなかった。

「我らがエリザベス女王が即位すると、その反動で新教徒達はそれまでの鬱屈《うっくつ》を晴らそうと、カトリック狩りを始めた。真っ先に彼らの標的になった母は、善良な父を残忍なメアリーに売った魔女だと非難され、殴られて、半殺しの目に遭ったんだ。そのとき、俺は三歳。なんと、啀《いが》み合っているときも、やることはやっていたという訳でね」

「なんてこった……」

「母を哀れみ、助けてくれたのはトマソン先生だけだったそうだ。そして、寝たきりで長い時を過ごした彼女は、自分の吐瀉物《としゃぶつ》を喉《のど》に詰まらせて死ぬ羽目になった。最後の告解も、終油の儀式もなしにな。彼女が最も恐れていた末路だよ」

ルーファスはジェフリーを正視できずに、顔を背けながら聞いた。

「惨《むご》すぎる……一体、誰が、そんな話をお頭に？」

「忘れたな。まあ、お節介な奴らは幾らでもいる」

「くそ、聞かされる方の身にもなってみろ！」

「おまえは優しい男だな」

ジェフリーは微笑み、静かに言った。

「確かに、衝撃を受けなかったと言えば嘘《うそ》になる。だが、現実の苦さを知るにはいい機会だった。俺の両親は愛し合っていなかったんだ。それどころか、母は父を呪い、その報いを受けていた。目には目を——そう、聖書に書かれていることは大抵正しい。それは俺も認めよう。だが、それを人に教えた神はどこにいるんだ？」

「だから、そんなことを言っちゃいけませんって……！」

慌てて遮《さえぎ》る部下に、ジェフリーは苦笑する。

「善良なルーファス。船乗りはみな、おまえのように信心深いが、中には例外もいるんだよ。嵐の海を抜けたとき、おまえは神に感謝するんだろうが、俺はまず共に苦難を潜《くぐ》り抜けてくれた仲間に礼を言う。本当に頼りになるのは人間だけだ」

「お頭……」

ジェフリーは気分を変えようとするかのように、明るい笑みを浮かべた。

「さて！　この物語にはまだ続きがある。孤児になった俺は遠縁にあたるウィリアム・ワッツに引き取られた。サー・ホーキンスの一度目の西インド航海に同行した船長だ。荒っぽいが気のいい老人で、死んだ息子の代わりに俺を可愛がって、海のことを一から教えてくれた。彼がいなかったら、俺は世を拗《す》ねて犯罪に手を染めていたかもしれないな」

ルーファスも強ばった表情を緩めた。

「俺もワッツ船長に感謝しますよ。旦那が育て方を間違ったら、今頃、お頭の下で働いてる俺もひでェ目に遭ってた訳ですからね」

「まあな。ウィリアム爺《じい》さんは遺言で船まで譲ってくれた。それに乗って、サー・フランシス・ドレイクの下で働け、あの人となら退屈知らずでいられるだろう、ってね。シリル風に言えば、そこからが俺の人生の第二幕……いや、本当の人生のスタートだった」

「本物の海の男が誕生したって訳ですね」

「ああ。どうだ？　これでロックフォード家が、いかに神に見離されているかが判っただろう？　だから、今さら俺がシリルと淫売宿にしけこんでいたって、誰も何も言わない。また呪われた家の人間が、その生まれに相応《ふさわ》しい悪業を働いていると思うだけだ。だから、おまえもうるさいことは言わず、放っておいてくれ」

ジェフリーは『いいな？』と言うように、ルーファスに首を傾《かし》げてみせた。帽子についた雉の羽飾りが優雅に風にそよぎ、ルーファスの目を奪う。ジェフリーが止められないもう一つの悪徳は、美麗な衣裳への耽溺《たんでき》だった。エリザベス女王が布告した奢侈《しゃし》禁止法などハナから無視して、その身分に許された品よりも華やかで上等な服を身につけている。ジェフリーに反感を抱いている者達は、そんな彼の姿を『孔雀《くじゃく》』と評していた。しかし、ルーファスを初めとする仲間達は、誰もが振り返るような伊達男《だておとこ》が自分達の船長だということを誇りにしている。とどのつまり、彼らはジェフリーが好きだったのだ。

「放っておくなんて、できませんね」

それまでジェフリーの話に圧倒されていたルーファスは、ようやく落ち着きを取り戻すと、朴訥《ぼくとつ》に言った。

「大事な人が地獄に落ちるのを見過ごすなんて、俺の良心が黙っちゃいませんや。馬鹿なことをしてると思えば、そう言って注意してやります。心を入れ替え、良い人間になるのに遅すぎることはねえって、ダートマスの牧師は言ってましたからね」

ジェフリーは苦笑する。

「希望に満ちた台詞《せりふ》だが、俺に関しては、無駄な努力は止めておいたがいいぞ」

「無駄かどうかは、俺が決めます」

ルーファスはいかにも真面目《まじめ》そうな顔を取り繕うと、声を潜めて言った。

「お頭、俺だって男です。独り寝の寂しさをまぎらわしたいって気持ちは判りまさ。だから、淫売宿に行くのは仕方ないとして、一緒に寝る相手は女にしませんか？」

ジェフリーは吹き出した。

「それを偽善って言うんだよ」

「すぐに真っ当になるなんて無理でしょうが！　段階を踏まなくちゃ。まず、男を断つ。特にあのクソ生意気なガキには近づかないこと」

「やれやれ、毛嫌いされたものだ。シリルはカラダがいいだけじゃなく、話も面白い子なのに。

役者は頭の悪い人間にはできない職業の一つだからな」

ルーファスがジェフリーを睨《にら》む。

「俺を転向させようったって無理ですよ。女っ気のない航海中は、つい出来心で罪を犯す奴らもいます。でも、俺は男に指一本触れたことはねえし、そうしたいと思ったこともねえんだ」

「判った、判ったよ」

ジェフリーは両手を上げて、ルーファスに降参した。

「約束はできないが、おまえの忠告は真摯《しんし》に受けとめる……これでいいだろう？」

ルーファスは頷いた。

「ひとまずは」

「まったく、小煩《こうるさ》い男を水夫長にしちまったな」

ジェフリーが溜め息をつくと、ルーファスがおかしそうに笑った。

「水夫長ってのは、どこでも似たり寄ったりでさ。上のもんがガミガミ言わねえと、荒っぽい船乗りどもは馬鹿にして働かねえから」

「おまえも気苦労が多いな」

「おかげさまで」

そうして話をしている間に、彼らはジョージ・トマソン医師の家に着いた。

そこは物見の塔《バービカン》の近くにある瀟洒《しょうしゃ》な屋敷だった。魚眼石《オーライト》の壁の上に塗り直されたばかりの漆喰《しっくい》は眩《まぶ》しいほどに白く、その壁をX字形に飾る木枠も少しも色褪《いろあ》せていなかった。窓の外に取りつけられた木箱には一重の緋《ひ》色をした蔓薔薇《つるばら》が植えられて、今にも零《こぼ》れ落ちそうに咲いている。これらの美しい花を丹精しているのはトマソンの妻エセルだ。

街の人々から信頼されている二人の家には、治療のために、あるいは悩み事を相談するために、常に誰かが訪れている。あまり、陸の人間とは交流のないジェフリーでさえも、航海から戻ると土産を持って挨拶《あいさつ》に訪問することがあった。

「まあ、いらっしゃい、船長さん」

ゆったりと広がる袖《そで》と高い衿《えり》を持つ優雅な深緑色のドレス《ガウン》を着たエセルが、明るい光の差し込む客間でジェフリーを迎える。

「奥様、相変わらず、お美しい」

ジェフリーは帽子を脱ぎ、微笑んだ。

「ありがとう。ジョージは奥にいるわ。あの男の子……」

エセルは悪戯《いたずら》っぽい目をした。

「とても可愛らしい男の子も一緒よ」

どうやら、悪い評判は彼女の耳にも届いているようだ。ジェフリーは心の中で微苦笑しながら聞いた。

「言葉は通じるそうですね」

「ええ。言い回しが少し変だけど、意志は通じるわ。記憶がないだけで、頭も良さそうだし」

「どうして判るんですか？」

「ジョージの診察ぶりや、彼が使う器具に興味津々なの。年齢に関係なく、愚鈍な人間というのは『そこに何かがある』と言われるまで、何も目に入っていないものよ。でも、あの子は自分で考えているわ。これは何、あれはどう使うんだろう、って。口にはしないけれど」

ジェフリーは感心した。シリルといい、エセルといい、よく他人のことを見ている。基本的に人間が好きなのだろう。好きでなければ、これほど興味は持てないはずだ。

「そう、そう、彼の服を脱がせたとき隠しの中からこれが出てきたの」

エセルはそう言うと、近くの棚から革製の小物入れのようなものを持ってきた。

「悪いと思ったんだけど、一応、中を確かめてみたら、不思議な絵が出てきて……」

「絵？」

「これよ。この赤い髪の子が、彼なの。本当にそっくりで驚いたわ」

促されるままに小さな紙片に視線を落としたジェフリーは、次の瞬間、目を見開いた。精密、いや、精密すぎる絵だ。当代の有名な画家ニコラス・ヒリヤードでさえ、これほどの腕はないだろう。それにどんな画材を使えば、このように凹凸のない画面を描くことができるかも謎だ。

背後から彼の手元を覗《のぞ》き込んだルーファスも、ぎょっとしたように呟いた。

「な、なんだ、それ？　まるで、鏡に映ってるみてぇだ」

ジェフリーも同感だった。

（あるいは人間を縮めて潰《つぶ》し、紙の上に張りつけたようにも見える）

赤い髪をした少年ともう一人の黒髪の少年が肩を並べている姿を見つめながら、ジェフリーは眉を寄せた。世界を航海しているぶん、同じ年の青年達に比べて、彼の見聞は広いはずだ。しかし、二十六年生きてきて、こんなものは見たことがなかったし、噂《うわさ》に聞いたこともない。

「他には何が入ってましたか？」

ジェフリーが聞くと、エセルは小物入れを差し出した。

「やっぱり、不思議なものよ。説明するのは難しいので、ご自分でご覧になって」

ジェフリーはそれを受け取って、中を改めた。何でできているか判らないが、つるつるした手触りのカード。どこかの国の女王――王冠を被っているので――が描かれた紙片が数枚。そして、やはり、どこの国のものとも知れない銀貨などが入っている。紙片と銀貨には『バンク・オブ・イングランド』と書いてあるが、それが祖国とどんな関係があるのか見当もつかなかった。だいたい、両替屋《バンク》と言えばイタリア人の独壇場のはずだ。

「これが彼の名前かな。カイト……トー……ゴー」

ジェフリーはカードの表面に書かれた文字を読み上げる。聞き慣れない響き。だが、耳障りではなかった。

「行く《トウ・ゴー》？　どこに？」

ルーファスがふざけたように言うのに、ジェフリーは肩を竦めてみせた。

「そいつはこれから調べよう。奥様、これらは私が預かっていても宜しいですか？」

「どうぞ」

エセルは頷き、それから、ふと心配そうな顔になった。

「あの子を調べるとおっしゃったけど……あまり手荒なことはしないで下さいな」

ジェフリーはにっこりする。

「判ってますよ。では、先生に会ってきます。ルーファス、行くぞ」

笑って嘘をつくのは得意だった。それに、笑いながら人を殴ったり、切りつけたりすることもできない訳ではない。それが敵であれば――ジェフリーは赤毛の少年がそうではないことを願っていた。先程の精密な絵が彼の姿を忠実に写し取っているのであれば、ジェフリーの好みだったからだ。

（謎めいた異国の美少年……面白い。久しぶりに胸が騒ぐじゃないか）

害がないと判れば、戯《たわむ》れの恋を仕掛けるのも面白いかもしれないと、ジェフリーは思った。生来、冒険心に富んだ彼は未知の存在を忌避するどころか、誰よりも強く惹《ひ》きつけられる性癖の持ち主なのだ。

「失礼します」

声をかけてジョージ・トマソン医師の部屋に入ったジェフリーは、そこで軽い衝撃を覚える。

エセルは嘘をついてはいなかった。あの絵と寸法が違うだけで、あとはまるで瓜《うり》二つの少年が、トマソンと共に振り返り、ジェフリーを見つめている。

「おお、ジェフリー。元気そうだね」

「おかげさまで。相変わらず、先生もお忙しそうですね」

「まあね。張りのある生活を送らせてもらってるよ。ところで……」

トマソンは赤毛の少年を振り返った。

「君の部下達が運んできた、この少年について話をしようか。もう聞いていると思うが、彼には記憶がない。それが判らなければ、この先の身の振り方も考えられないだろう。当座の生活をどうするかという問題もある。彼の容貌《ようぼう》から察するに、この街に親戚《しんせき》や知り合いがいるとも思えないが、誰かが面倒を見てやらないと……」

それまで目を丸くしてジェフリーを見つめていた少年が、居心地悪そうに俯《うつむ》いた。

「その役目は俺が引き受けますよ」

ジェフリーは言った。

「誰かを救おうと思ったら、最後までその命に責任を持たないと。途中で投げ出すぐらいなら、最初から手を出さない方がいい」

トマソンが頷いた。

「その通りだ。では、私の患者をよろしく頼むよ」

ジェフリーはふいに声を張り上げた。

「カイト!」

少年はビクっとして、咄嗟《とっさ》に顔を上げる。そして、次の瞬間、しまったというような表情を浮かべた。

ジェフリーは微笑む。これで彼に対する疑問は全て解けたようなものだ。

(反射的に顔を上げたところを見ると、やはり、それが彼の名前らしい。そして、名前に反応したということは、本当は記憶を失っている訳ではないということだ)

怯《おび》えたような眼をしている少年に、ジェフリーは言った。

「持ち物を改めさせてもらったら、そこに入っていたカードに名前らしきものが書いてあった。カイト・トーゴー。今の君にはそれが自分のものかどうか判らないだろうが、我々はそう呼ばせてもらおう。呼び名がないのは不便だからな」

トマソンが頷く。

「確かに。カイト……カイでもいいな。呼びやすいし、覚えやすい」

ジェフリーは聞いた。

「もう連れていってもいいのですか?」

「ああ。手当ては終わっている。ただ、予後を見たいので、明日また来て欲しいんだが」

「判りました。おいで、カイト」

ジェフリーは帽子を左手に持ちかえると、スッと右手を差し出した。

カイトはその手をまじまじと見やり、それからジェフリーの顔を凝視し、ごくりと唾《つば》を飲み込んだ。敵を前にした猫のように神経質になっている。

「おまえさんの面倒を見てやるよ。俺の名はジェフリー・ロックフォード。俺の後にいるのはルーファス・ベレット。これから行くのは俺達の船だ」

カイトは瞬きをする。

「船？」

それがジェフリーが聞いたカイトの初声だった。

「そうだ。俺は『グローリア号』の船長をしている。さあ、行くぞ」

それでもカイトが動こうとしないので、ジェフリーは自分から彼の手を引いた。何とも柔らかい手——おまけに上等の絹のように滑らかだ。その感触に瞠目《どうもく》したジェフリーは少年を振り返る。すると、カイトも縋《すが》るようにジェフリーを見上げていた。

「これから……俺、どうなんの？」

ジェフリーは微笑む。心細そうに眉を寄せ、唇を噛《か》み締めているのが可愛かった。キスをしたら、どんな味がするだろうか。

「いい子にしていれば、悪いようにはしない」

「うぉほん！」

背後でルーファスがわざとらしく咳払《せきばら》いをした。どうやら、ジェフリーの下心に気づいたようだ。ジェフリーは片方の眉を上げると、トマソンに言った。

「先生、ありがとうございました。お代はルーファスが払います」

「え？」

ジェフリーはホーズの隠しから財布を取り出すと、きょとんとしているルーファスに放った。

「ちょ……ちょっと、お頭……っ」

「先に行っているぞ」

ルーファスに向けて悪戯っぽい笑みを閃《ひらめ》かせると、ジェフリーはカイトの手を引いたまま、さっさと歩きだす。おとなしくついてくるカイトの手は小刻みに震えていた。

5

裸足《はだし》では痛くて外を歩けないと訴え、エセルに貰《もら》った布をグルグルと足に巻きつけて靴の代わりにした海斗《かいと》は、ジェフリーについてペタペタ地面を踏みつけながら自己嫌悪の思いに浸っていた。

(あー、俺のバカ！　マヌケ！　何で名前を呼ばれたとき、こいつのこと、見ちゃったんだよ。正体とか、うるさく聞かれないように記憶喪失のフリするって決めたのに、台無しじゃん！)

黒ずくめの服装をしたヴィンセントという男と揉《も》み合っているうちに失神してしまった海斗が、次に目覚めたのはトマソンと名乗る温厚そうな医師の家だった。

「気がついたか。私はジョージ・トマソン。見たところ、外国人のようだが、私の言っていることは判るかね？」

頭痛に顔を顰《しか》めながら、海斗は頷《うなず》いた。

「それは良かった。昨日、君はホーの丘で倒れているところを、ロックフォード船長の配下に発見されて、私の所に連れてこられたんだ。頭を強く打っているのと、四肢に軽い怪我《けが》をしている。どうして、そんな目に遭ったか、心当たりは？」

海斗は首を振った。

「判りません」

「ふむ」

医師は困った顔になる。

「それはともかく、君のことは何と呼べばいいのかね？　話を進める上で何かと不便だから、名前を教えてくれたまえ」

海斗は口を開きかけて、思い止まった。

（話を進める――うーん、進められても困るんだよな。二十一世紀から来た人間だっつっても、あのヴィンセントとかいう男と同じで、どうせ信じちゃもらえねーだろ。頭がおかしいと思われて、どっかに閉じこめられるのだけは勘弁だしな）

そこで、海斗は何も覚えてないフリをすることにした。本人すら知らないことなら、他人も聞き出しようがないと思ってのことだ。

しかし、ジェフリーはあっさり、それを見破ってしまった。

（優しげなことを言ってたけど、油断は禁物だ。顔を見りゃ、判る。すげーハンサムだけど、人がいいって感じは全然しねえ。きっと、身元を根掘り葉掘り調べられるだろうから、下手なことを言わないように気をつけなきゃ……）

自分の手を引いて歩く男の背を見つめながら、海斗は思った。

（それはそうと、綺麗《きれい》な服を着てんなあ）

金糸で縁取りされた漆黒のマント。羽飾りのついた帽子――アロハシャツにジーンズ姿の海斗とは大違いの優雅さだ。ファッションに興味があって、デザイン関係の学校に進むのもいいかもしれないと考えていた彼は、そんな場合かと思いつつも、ジェフリーの衣服を丹念に観察せずにはいられなかった。

（うわ、袖口《そでぐち》はレースだよ。こんなの、俺が着たらギャグもいいところかも？　やっぱ、こいつみたいに着馴《きな》れてないと。ああ、上着の刺繍《ししゅう》もクラクラするほど細かい。昔の人間って、根気があったのな）

海斗は思い出す。織物産業が盛んになった十六世紀から十七世紀にかけては、男性の服装が最も華やかな時代だったということを。そして、その流行の中心にいた人々こそ、海斗が憧《あこが》れる海の男達だった。

船上でさえ、食事の前には必ず上等の服に着替え、銀の食器で給仕させたというフランシス・ドレイク。

大きな真珠のイヤリングを耳から下げていたトーマス・キャベンディッシュ。

水溜《みずたま》りを前にして足を留めたエリザベス女王の前に、「おみ足が濡《ぬ》れないように」と誰もが羨《うらや》んだ豪華なマントを投げ出して、寵愛《ちょうあい》を受けるようになったウォルター・ローリー。

女王から『敵船拿捕許可状《だほ》』を貰い、スペイン相手に海賊稼業をしていた彼らは金回りが良く、自分の身を美しく飾ったり、豪奢《ごうしゃ》な暮らしをすることによって、己れの勢力を誇示した。それは貴族のように生まれながらの権威を持たない彼らの、抑えがたい自己顕示欲だったのだろう。あるいは、海という危険に満ちた世界を生き抜くために、平時は刹那《せつな》的な快楽に溺《おぼ》れることを自分に許したのかもしれない。

(成金の自慢合戦みたいだけど、あんまり嫌味な感じがしないのは、彼らが張り合うこと自体を純粋に愉《たの》しんでるからだろーな。「ほう、おまえがそうくるなら、こっちはもっと凄《すご》いことをして度胆を抜いてやるぜ」みたいにさ)

ジェフリーも間違いなくそうした男の一人だろう。海斗はマントの手触りを確かめたくて、そっと指で襞《ひだ》を撫《な》でた。ふんわりとして滑らかな天鵞絨《ビロード》だ。すると、その微《かす》かなタッチに気づいたのか、ジェフリーが振り返る。そして、海斗の手元を見て、笑みを浮かべた。

「気に入ったのか?」

海斗が頷くと、ジェフリーはそれを脱いで、海斗の肩にかけた。

「貸してやるよ。おまえの服は珍妙な上に、いかにも寒そうだ」

「ありがとう、サー」

ジェフリーが片方の眉《まゆ》を上げる。

「残念ながら、俺は叙爵されてないんでね。何か呼称をつけたかったら、船長《キャプテン》と呼んでくれ」

「判った」

ジェフリーは長身だったので、海斗がマントを羽織ると裾《すそ》が地面につきそうになってしまう。借りた服を汚したくなかったので、海斗は布地を胸元に摑《つか》み寄せた。すると、意外にも芳香が鼻先を掠《かす》めたので、彼は思わず呟《つぶや》く。

「いい匂《にお》いがする……」

海斗の様子を面白そうに眺めていたジェフリーが言った。

「衿《えり》の中に干したラベンダーを入れた小袋を縫いつけてある。病除けだと仕立屋が言うのでな」

「何の病気？」

「さあ。単なる気休めだろう。黒死病や天然痘が、そんなものを恐れるとは思えないからな」

海斗はハッとする。そう、この時代の医療は実にお粗末で、『まじない』に毛が生えた程度のものだった。病気にかかったら、助かるかどうかは運任せ。ちょっとの怪我でも患部を切り落としたりする。

（敗血症になるのを防ぐためだ。抗生物質なんてないからな）

海斗はトマソン医師が腕の傷に巻いてくれた木綿を見下ろす。一見清潔そうだが、実際には黴菌《ばいきん》がうようよしているかもしれない。そのせいで傷が化膿《かのう》して、腕を腐らせることにでもなったらと思い、海斗はゾッとした。

（あとで自分で傷を洗おう……）

だが、洗浄に使う水にも気をつけなければならない。現代の上水道のように、人体への安全を考えて、水が消毒されている訳ではないからだ。藻や微生物はいて当然——そんな水を飲まされて、病気にならない人間はいない。航海中に船員が死亡する原因のトップも、汚れた水を使うことによる食中毒、腸チフスなどの細菌感染症だったことを思い出して、海斗の気分は落ち込んだ。

（環境が違いすぎる。俺、ホントにこんな所で生きていけんの？　どうして、俺がこんな目に遭わなきゃいけないんだよ？）

海斗は改めて自分に降りかかった苛酷《かこく》な運命を呪《のろ》った。不安だ。何もかもが不安でたまらない。だが、誰かに縋《すが》りたくても、彼の知り合いは一人もいなかった。いつも一緒だった和哉《かずや》も時の壁に隔てられ、二度と会うことは叶《かな》わないかもしれない。いや、その可能性の方が高かった。どうやって、この時代に来たのかが判らない海斗には、どうやって、元の世界に戻るのか見当もつかないのだから。

（あいつ……和哉はどうしてるのかな。急に俺が消えちまったことを、親とか警察に何て説明したんだろ？）

たぶん、聡明《そうめい》な和哉のことだから、上手《うま》く切り抜けたに違いない。自分の両親に累が及ばないように、慎重に振る舞ったはずだ。

「本当に地面の中に吸い込まれるように、僕の目の前から消えてしまったんです。他の目撃者にも聞いてみて下さい。僕、海斗の姿が消えた辺りを何度も必死で探しました。でも、どうしても……ごめんなさい。どうしても、見つからなかったんです」

そんな風に言って。

無論、和哉はタイムスリップの話などはしない。警察は報告書に書けないような突拍子もない出来事を信じないからだ。和哉も自分の正気を疑われたくないだろう。

（あいつは必死で俺のことを引き止めようとしてくれた。それは判ってる。だけど、こっちの世界に来ちまった以上、俺のことは忘れようとするんだろうな。だって、捜しようがないんだから）

ある日、理由もはっきりしないまま、忽然《こつぜん》と姿をくらましてしまう人間は、決して少なくなかった。警察も海斗の死体が出てこない限り、単なる『行方不明者』として扱うことしかできないだろう。

（そして、蒸発した人間なんて山ほどいるから、俺だけを特別に捜索なんかしない。リストに載っけて、おしまいさ）

海斗はぎゅっと唇を噛《か》み締めた。警察は役に立たない。頼みの綱は両親だが、手がかり一つ見つからなければ、いずれ諦《あきら》めてしまうのではないだろうか。そうなったら、もう海斗のことを探してくれる人は誰もいないのだ。

(そんなの、嫌だっ！　母さん！　父さん！　洋明《ひろあき》！　和哉！　ああ、誰か……誰か一人でもいいから、俺のこと、諦めないでくれよ！　俺をここから連れ出してくれ……っ)

魂の叫びは虚《むな》しく心の壁に跳ね返されて、誰の耳にも届かない。海斗は絶望に襲われる。今まで感じたことがないほどの孤独が、無防備な彼を責め苛《さいな》む。これから、どうすればいいのか判らない。心細くて、恐ろしくて、足が竦《すく》む。こんな訳の判らない世界で暮らすぐらいなら、いっそ死んだ方がマシだとさえ思う。

(海賊の世界を見てみたいなんて、思うんじゃなかった。そうすれば、こんな酷《ひど》い目に遭わずに済んだかもしれない……)

海斗は思わず涙ぐんだ。けれど、いくら後悔しても、時は戻らない。彼が直面している問題も、解決する訳ではなかった。

「どうした？」

俯《うつむ》いた海斗に気づいて、ジェフリーが聞く。

「まだ具合が悪いのか？」

海斗は首を振る。その拍子に涙が零《こぼ》れてしまい、彼は慌てて右手を頰《ほお》にやった。だが、その動きで、今度は肩に羽織ったマントがずり落ちてきてしまう。海斗は内心、舌打ちしたいような気分で、豪奢な布地を掻《か》き寄せた。

「忙しいことだな」

ジェフリーが苦笑すると、海斗の顎《あご》を掬《すく》い上げ、露《あらわ》になった面を見つめる。泣き濡れ、驚きの表情を浮かべた顔を。

「どうした？　何が、おまえを苦しめている？　心にかかることがあるなら、言ってしまえ。俺にできることなら、力になってやろう」

穏やかで、同情に満ちた声だった。海斗は誰かに縋りたいという気持ちを抑えることができずに告白する。

「恐い……んだ」

「何が？　もしかして、俺が？」

ジェフリーが海斗の頬を撫でる。この上なく優しい手つきに胸を突かれてしまった海斗は、またもや涙を溢《あふ》れさせた。それを見たジェフリーの苦笑も深くなる。

「おい、おい、これでも俺は慰めているつもりなんだぜ。おまえさんを怯《おび》えさせるような真似《まね》は、これっぽっちもしていないだろうが」

「う、うん」

一応頷くものの、一向に動揺が納まらない海斗の様子に、ジェフリーは溜め息をついた。

「なあ、俺は血も涙もない異端審問官じゃない。ただ、話を聞かせて欲しいだけだ。まだ子供のおまえさんを、いきなり拷問にかけて、口を割らせたりはしないさ」

拷問と聞いて、海斗は愕然《がくぜん》とする。よもや、そんな目に遭わされるなどとは、チラとも思い浮かばなかったからだ。だが、現代人が卑劣な人権侵害として非難するその行為も、十六世紀の人間にしてみれば早急に問題を解決する一手段に過ぎなかった。

（そんなことを言ったって、俺の話に納得できなかったら、こいつも俺を拷問にかけるかもしれない……）

あり得ることだ。海斗は背筋を凍らせる。頬を撫でているジェフリーの指が、急におぞましいもののように感じられて、彼は顔を背けた。

ジェフリーがからかう。

「いきなり態度を硬化させたな。俺のことが信じられないのか？　それとも怯えなけりゃならないだけの理由があるとか？」

海斗はカッとして言い返した。

「あんたのこと、何も知らないのに、『はい、そうですか』って、あっさり信用できるかよ」

ジェフリーは笑った。

「賢明だな。トマソン夫人の言葉は、あながち外れてはいないらしい。『深慮《ソートフルネス》』――それだけが、おまえの身を守ってくれる。よし、お互い、相手に対する理解を深めよう。俺に聞きたいことがあったら、何でも聞け。正直に答える。その代わり、おまえも俺の質問には、率直に答えてもらおう。友誼《ゆうぎ》を結ぶのは、それからでも遅くない。いいな？」

「わ、判った」

海斗は承知した。そう、聞かれたことは、スラスラ答えよう。しかし、それは必ずしも真実とは限らない。本当のことを言えば言うほど、狂人扱いされることは目に見えているからだ。

(嘘《うそ》も方便って言うじゃん。事を簡単にしたけりゃ、俺に都合が良くて、皆も信じられるような過去を作ればいいんだ)

だが、それはジェフリーを納得させるものでなければならなかった。そして、彼を騙《だま》すのは容易なことではないだろう。海斗はいつにないほど必死に頭を働かせた。顔は平静さを装ったままで。

「ああ、ようやく追いついた！」

そこにルーファスがやってくる。彼は海斗の姿を見て、胡散臭《うさんくさ》げに目を眇《すが》めてみせた。

「お気に入りのマントまで着せてやるとは……早速、その坊主に手懐《てなず》けられちまったんですかい？」

「馬鹿。寒そうだから貸してやったんだ」

「まだ敵とも味方とも判らない奴に、ずいぶんご親切なこって」

ジェフリーは肩を竦めた。

「子供相手に居丈高に振る舞う必要もないだろう」

「近頃のガキは油断がなりませんからね」

海斗はムッとした。

「さっきから黙って聞いていれば……子供、子供ってうるさいな！」

ルーファスが海斗を睨《にら》む。

「ほう、ガキと呼ばれるのが悔しいのか。では、おまえは何歳だ？　ことと次第によっちゃあ……」

海斗が答える前に、ジェフリーが言った。

「十五だよ。カイトにとっては幸運なことに、そして、おまえにとっては忌ま忌ましいことに、まだ半人前の少年だ」

ルーファスが舌を打つ。

「くそ！」

「年を聞いたからには、気をつけろよ。これ以降、勝手にこの子を殴りつけたら、俺に対する反抗と見なす。この点、他の者にも徹底させろ」

「へい……」

ルーファスが不承不承頷くのを見て、海斗は思った。

（やっぱ、こいつでもキャプテンの命令には絶対服従するんだな。でも、俺は乗組員じゃないから、ジェフリーの言うことを聞く義務はねーぞ。だいたい、何だよ、俺の年まで勝手に決めやがって。アッタマ来る）

そんな海斗の苛立《いらだ》ちが伝わったのだろうか。ふいに、ジェフリーが彼を振り向いた。

「おまえは知らないようだから、教えてやろう。海の上では十六歳を迎えた日から成人として扱うことになっている。天国と地獄の別れ目だな」

海斗は眉を寄せる。

「天国と……地獄？」

「そうだ。子供であれば大目に見てもらえたことも、大人になると懲罰を受けなくてはならなくなる。おまえが十六の誕生日を過ぎた平水夫だったら、さっきのようにルーファスに口答えをした時点で殴り飛ばされても、何一つ文句は言えないんだぞ。彼は水夫長《ボースン》で、部下を監督し、規律に背いた者を矯正する権限を持っている。それは絶対的なもので、よほど理由がない限り、俺ですら口出しはしない。そして、ルーファスは気のいい男だが、掟破《おきて》りには容赦ないことで知られている」

海斗の怯えたような視線を捉《とら》え、ルーファスが脅すようにニヤリと笑ってみせる。

ジェフリーは言葉を続けた。

「殴られただけで済むとは思うな。目上の者への反抗は重罪だ。仲間の前で鞭打《むちう》ちされた後、船底に溜まった汚水汲《く》みをぶっ通しでさせられる。腐って蕩《とろ》けたネズミの死骸《しがい》、息もつけないほどの悪臭、身体を這《は》いずり回るおぞましい船虫に、おまえさんが耐えられるかな？」

海斗は絶句する。聞いているだけで、また気を失いそうだった。

ルーファスがゲラゲラ笑う。

「俺と違って、お頭は人が悪いな。あんまり脅しつけるから、こいつ、固まっちまってるぜ」

「脅しだと？　俺は事実を述べたに過ぎん」

「そりゃ、そうですがね」

ジェフリーは揶揄《やゆ》するように海斗を見る。

「十五で良かったな？　ん？」

海斗は黙って、彼を見返すことしかできなかった。今度ばかりは、口を閉じていて良かったと思いながら。

「本当は幾つなんだ？　今の反応からして、十六は越えているらしいが」

竦んだままの海斗の身体に腕を回し、促すようにして再び歩き出したジェフリーは、二人にしか聞こえない声で聞いた。

隠し果《おお》せないと悟って、海斗も答える。

「十七」

ジェフリーは微笑《ほほえ》んだ。

「童顔が幸いしたな。ルーファスは気晴らしをする機会を失ったという訳だ。俺を味方につけておいて良かっただろう？」

海斗は足元を見つめながら、ひたすら歩を進めた。

（味方？　嘘だ。親切ごかして手を差し伸べて、俺にはどうすることもできないような情況で

頼らせて、あんたなしでは生きていけないような気にさせようとしているだけだ）

そして、ジェフリーはすでに半ば、それに成功しようとしている。海斗は自分の弱さを思い知らされて、とことん落ち込んでいた。こんな荒っぽい世界を一人で生き抜く自信などない。頼りになる味方は喉《のど》から手が出るほど欲しかった。海斗は顔を上げ、そっとジェフリーの横顔を盗み見る。

（俺のこと、敵じゃないって判ったら、その後はどうするつもりなんだろ？　そのまま面倒を見てくれるのかな？　それとも、用なしだって放り出す？）

海斗は怖気《おじけ》をふるった。それだけはごめんだ。彼は身を寄せる所がどこにもないということが、こんなにも恐ろしいことだとは思ってもみなかった。元の世界にいたときは人と交わるのが鬱陶《うっとう》しくて、一人になりたい、自由になりたいと願っていたが、今となっては自分の愚かさが身に沁《し》みる。両親という無条件で彼を守ってくれる人、裕福な家庭の子弟という立場を与えられていたからこそ、そんな甘えた考えを抱いていられたのだ。

（こんな頼りねえ奴だったんだ、俺は……）

本当の孤独の中に放りこまれ、いきなり自立を迫られた海斗は、己れの足がフニャフニャと萎《な》えていて、一人ではまともに歩くこともできないという事実に愕然としていた。自分はもう大人で、何でもできると信じていたけれど、それはただの幻想に過ぎなかったのだ。彼は唇を嚙み締める。認めるのは口惜しいが、今の自分ではジェフリーに半人前扱いされても仕方がなかった。

「見えたぞ。あれが俺の『グローリア号』だ」

ふいにグッと肩を摑まれて、海斗はハッとする。ジェフリーが指差す方向に視線を向けると、三本マストの帆船————イングランド独特の船首楼がないギャリオン船が、慎ましく翼を畳んだ水鳥のように停泊していた。

「わ……」

しばし、海斗は苦悩を忘れて、感動に身を委《ゆだ》ねる。船腹の木材の色から見て、まだ新しい。もしかしたら、ドレイクが対スペイン戦用に改良したと言われている外洋航海用の武装商船の一隻かもしれなかった。

「美しいだろう？　俺の恋人だ。こいつよりも大きくて豪華に艤装《ぎそう》された船は数限りなくあるが、グローリアと引き替えにする気にはなれないね」

ジェフリーの言葉に、海斗は頷く。自分が乗る船を一番愛することができなければ、どうして命を預けることができるだろう。荒れ狂う波から身を守り、安全な陸に連れ戻してくれるのは己れの船だけなのだから。

「港に帰っても、船の中で暮らしてんの？　家を持ってないとか？」

海斗の問いに、ジェフリーは苦笑した。

「持っているよ。町外れにな。だが、いちいち港まで通うのが面倒だから、短期の停泊のときは船で寝起きしたり、近くに宿を取ることにしている」

短期の停泊――――海斗の胸に再び不安が湧き上がってくる。ジェフリー・ロックフォードはすぐに航海に出てしまうのだ。となると、海斗の身の振り方が問題になってくる。

(ど、どうしよう)

苛酷な船員生活を思えば、ジェフリーに同行を願い出るのも気が重い。それに、頼んだからといって、必ず連れていってもらえる保証はどこにもなかった。もし、プリマスに取り残されてしまったら、一体どこに住み、どうやって生活費を稼げばいいのだろうか。海斗はズキズキと痛む額を押さえた。考えなければならないことが多すぎて、もはや彼の頭はパンク寸前だ。

「あいつら、荷積みをサボりやがって……!」

少し先を歩いていたルーファスが低く唸《うな》って、足を早めた。そして、敵を威嚇するライオンのように部下に咆《ほ》えかかる。

「ジョン! アーニー! てめえら、俺がいねえと、まともに仕事一つできねえのか!」

大きな樽《たる》の上に座って談笑していた二人の水夫が飛び上がった。

「ひいっ!」

「す、すみません!」

ルーファスは容赦なく彼らを殴りつけると、荷積みを監督し始めた。

「時間がねえって言っただろうが! トロトロしやがって! 航海に出る前に水が腐り始めた

ら、貴様らに責任を取らせるぞ。大檣行《ヤード》に二人ならべて吊《つる》してやるからな。いいか？」

「へいっ」

殴った方も、殴られた方も、あまりにも平然としていることに、海斗は絶望の溜め息をついた。船の上は言葉ではなく、力によって支配されているのだ。子供の頃から、『他人を傷つけてはいけません。暴力に訴えてはいけません。皆で仲良く、平和に暮らしていきましょう』と教え込まれてきた海斗には、到底受け入れがたい世界だった。

「お頭ァ！　サー・フランシスからお使いが来てますぜ！　ウォードの旦那です！」

そのとき、前部帆柱《フォア・マスト》の檣楼《トップ》から、男の声が降ってきた。

『フランシス』と聞いて、海斗はドキッとした。

ジェフリーが頭上に向かって怒鳴り返す。

「どこにいる？」

「航海長がお留守なんで、俺が船長室《キャプテンズデッキ》にご案内しやした。紳士をお通しできるのは、あの部屋しかありませんや」

「もっともだ、ありがとう、ユアン」

「ところで、ホーの丘に倒れてたってのは、そのガキのことですかい？」

「ああ」

ユアンは口笛を吹いた。

「噂《うわさ》通り、雛芥子《ひなげし》の花みてぇに綺麗な赤毛だな。我らが女王陛下もやっかみそうだ」

「そのときは、陛下の御髪《おぐし》は熟した橙《だいだい》の実のように艶《つや》やかだと申し上げればいい」

「俺ァ、お頭ほど舌が滑らかじゃねえもんで」

「では、黙って仕事に戻れ」

ジェフリーは顔を戻すと、独りごちた。

「やれやれ、ウォードか……うるさ方が来たな」

ジェフリーの目に微かな逡巡《しゅんじゅん》の色があるのを認めて、海斗は心臓を摑まれたような気分になった。何か問題があるのだ。

「どうしたの？」

「おまえのことを早々と聞きつけてやってきたとは思えないが、一応、ウォード殿に引き合わせよう。南西部の港を訪れる挙動不審者は、一人残らず報告する決まりになっているのでな」

海斗は自分を指差した。

「挙動不審者？」

「振る舞いが怪しい人間のことだ」

「判ってるよ。俺がそうだって言うわけ？」

「その通り」

海斗は憮然《ぶぜん》とする。

「まだ、何もしてないじゃないか。気を失ってただけなのに」

「おまえの場合、身元が判らないのが問題なんだよ」

海斗は身構えた。

「そのウォードって人と会ったら、どうなんの？」

「場合によるが、もっと詳しい事情を知りたいということになれば、ロンドンに連れていかれるかもしれない」

「何のために？」

ジェフリーは肩を竦める。

「尋問するためだ」

「尋問？　拷問するんじゃねーの？」

サッと顔色を変えた海斗に、ジェフリーは宥《なだ》めるように言う。

「狼狽《うろた》えるな。後ろ暗いことがなければ大丈夫だ。さっきも言っただろう？　質問には率直に答えること。ウォード殿は目利きだから、嘘をつくとすぐにバレるぞ」

「わ、わかってるよ」

海斗はごくりと唾《つば》を飲み、さっきから気にかかっていたことを聞いた。

「ところで、サー・フランシスって、誰？」

「秘書長官《セクレタリー・オブ・ステイト》のウォルシンガム閣下だ」

ドレイクではないと知り、海斗はガッカリした。

(なーんだ、ウォルシンガム………ウォルシンガムだってぇ?)

海斗は驚愕のあまり、大きな目をさらに剝《む》いた。フランシス・ウォルシンガム――彼もまたドレイクと並ぶエリザベス朝の有名人だ。英国諜《ちょう》報《ほう》機関の親玉で、目的を遂行するためには手段を選ばないことで有名な男だったことを思い出して、海斗は背筋の毛を逆立たせた。

(やっべ……超やベーじゃん! ウォルシンガムの部下ってことは、つまりMI6とか、CIAとか、KGBのスパイみたいなもんだろ? そんな奴らに疑われたら最後、牢屋《ろうや》にブチ込まれて、死ぬまでゴーモンされちまうじゃねーか)

何としても、この場を切り抜けなければならない。無害な人間だということを、ウォードという男に納得してもらわねばならない。でなければ、身の破滅だ。確かに、海斗もこんな世界で生きるよりは死んだ方がマシだと思ったが、他人にこっぴどく痛めつけられたあげく殺されるなんて冗談ではない。

押し黙った海斗に気づいて、ジェフリーが聞く。

「どうかしたか?」

「な、なんでもない」

「では、行くぞ」

ジェフリーが昇降口へと海斗を促す。

「足元に気をつけろ。マントの裾を踏んづけて、海に落ちるなよ」

海斗は頷いた。埠頭《ふとう》からグローリア号の舷門《げんもん》へ渡された板は、歩くたびに大きくたわんで揺れる。まるで、綱渡りをしているみたいだ。情けないほどのへっぴり腰で一歩、一歩進みながら、彼は思った。たぶん、自分の置かれた情況も同じぐらい危なっかしいのだろうと。


トマス・ウォードは鳶《とび》色の髪、褐色の目をした平凡な容貌《ようぼう》の男だった。一度すれ違っただけでは、顔立ちを覚えることができないに違いない。だが、それこそが彼の持ち味なのだ。本来、間諜の仕事というのは単調なものだった。聞き役に徹し、コツコツと秘密を探り出す地道さと根気が必要とされる。

（ジェームズ・ボンドがウォルシンガムの部下だったら、真っ先にお払い箱だね。情報収集は他人任せだし、目立ちたがり屋だし、女と遊んでばっかだし）

その点、ウォードは適性がありそうだった。

くすんだ灰色の服を着たウォードは、ジェフリーが船長室に入ってくるのを見て、椅子から立ち上がろうとした。

「ごきげんよう、キャプテン」

「そのままで、ウォード殿。お待たせして申し訳ありません。お元気でしたか？」

「ええ。キャプテンもご壮健そうで」

「それだけが取り柄ですからね」

「また、ご謙遜《けんそん》を……」

ウォードは微笑みながら、ジェフリーの背後に隠れていた海斗に抜け目ない視線を向ける。

海斗はヒヤリとしたが、彼は何も言わなかった。ジェフリーの紹介を待つ気なのかもしれない。

ジェフリーが聞く。

「それよりも、サー・フランシスのお加減はいかがです？ 例のご病気のせいで、しばらくは会議にもお出になれなかったとか」

「これは、お耳が早い」

ウォードは肩を竦めた。

「先日、排泄《はいせつ》中に石が出て、痛みは治まったそうでございますよ。これで、しばらくはご機嫌も麗しいでしょう」

「結石ができやすいお身体とはお気の毒に」

「まったく。酷いときなど、七転八倒の苦しみようですからね。さて……」

ウォードは世間話を切り上げた。

「急にお伺いしましたのは、お願いしたき旨がありまして。我々が長年追いかけていた男が、プリマスから大陸に逃亡するという情報が入ったのです」

「ほう」

「サー・フランシスは、あなたに他の船長達と協力を図り、港を封鎖して頂きたいと仰せです」

「私に指揮を取れと?」

ジェフリーが眉を寄せる。

「ご存知のように、私はドレイク閣下に従う者、船長としても若輩者に過ぎません。そのようなことをするのは僭越《せんえつ》ではないでしょうか?」

ウォードは肩を竦めた。

「事は急を要しますし、ご多忙を極められているドレイク閣下のお手を煩わせるまでもないというご判断でしょう」

「しかし……」

「自分は船の出資者であるサー・フランシスの命令に従ったまで——そう申し上げれば、あなたのお立場が悪くなるということはないのでは? まあ、確約はできませんが」

ジェフリーは皮肉っぽく唇を歪《ゆが》めた。

「どうやら、我々の主人達はまた仲違いをしているようですね」

ウォードはあっさり頷いた。

「さよう。特に秀でた人々は、えてして自我もお強いもの。お互い、イングランドを想う気持ちは同じですのに」

ジェフリーは苦笑した。

「それがお判りでいらっしゃるから、決裂はしないのでしょう。御用の向きは承知しました」

「ありがとうございます」

「逃亡中の男のことを聞いても、差し支えありませんか?」

「もちろん。通称はビセンテ・デ・サンティリャーナ。つまり、サンティリャーナ出身の人間ということです。本名はビセンテ・デ・メンドーサ。黒髪。緑の瞳。スペイン人にしては珍しい長身の持ち主。名門貴族の血を引き、エル・エスコリアル宮においでの女人方には大層人気があるとか。しかし、イングランドにとっては、元スコットランド女王メアリー・スチュアートら旧教徒と陰謀を企て、善良なる我らが女王陛下に害をなそうとした卑劣漢に過ぎません」

二人の話をおとなしく聞いていた海斗は、おや、と思った。

(黒髪で緑の目? 丘の上で会った男みたいじゃん)

しかも、あの男の名は何と言ったか――海斗は記憶を辿《たど》った。

(ヴィンセント……そう、ヴィンセントだ! それって、スペイン語に直したら、ビセンテってことだろ?)

海斗は咄嗟《とっさ》にジェフリーの腕を掴むと、興奮して言った。

「俺、そいつに襲われたんだ!」

ジェフリーの目の色が変わる。

「何だと？」

「たぶん、間違いないよ。あいつはスペイン人だった」

ウォードも身を乗り出してくる。

「そう、先程からこの子のことが気になっていました。明らかに異国の顔立ちと身形《みなり》――西インド辺りの原住民を連れ帰って、キャビン・ボーイにでもなさっているのかとも思ったのですが」

鋭い視線を浴びて竦み上がってしまった海斗の代わりに、ジェフリーが説明する。

「港を見下ろす丘で倒れていた少年で、カイトといいます。たった今、船に連れてきたばかりで、まだ身元など詳しいことは判っておりません」

「一緒に話を聞かせて頂いても？」

「どうぞ。私もそのつもりでした」

海斗は二人の真剣そのものの形相を見て後悔する。余計なことを言ってしまった。しかし、一旦、口にしてしまったからには事情を明らかにするしかない。海斗は脳裏で組み立てた虚構の生い立ちを語り始める。

「俺は東の海にある島ジャパン――マルコ・ポーロがジパングと呼んだ国の生まれです」

ウォードはジェフリーを見た。

「伝説の黄金の国ですな……正確な位置は知りませんが、確かゴアにいるポルトガル商人達と交易をしているとか」

ジェフリーが頷く。

「我々も大いに興味があるのですが、今のところ、付近の詳細な海図を持っているのは彼らだけでしてね」

「実際は黄金よりも銀の産出が多いという話ですよ。それでポルトガル人の運ぶカタイ《中国》の絹を言い値で買うらしい。実に美味い商売ですね」

ウォードは言い、海斗を振り返った。

「スペインはおまえの国をも征服したのか？」

「いいえ」

「それは運の良いことだな。西インドの島々や新大陸にあった国々はみなスペイン領となり、民は屈従の日々を送っているのだぞ」

「そうですね。俺の国を治めている王様が強くて良かった」

海斗は一応、そう言っておくことにする。スペイン人の来襲は避けられたものの、代わりにイングランド人に狙《ねら》われるようになっては困るからだ。

「おまえの国の王は、なぜスペインに船を出すことにしたのか？」

「布教に来ていたフランシスコ修道会の坊さんに勧められたからです。スペインの王様に貢ぎ物を贈れば、広い知識を持つ偉い学者さんを送ってくれるだろうということで」

　ウォードが人差し指で軽く唇を叩《たた》きながら言った。

「思い出したぞ……以前にも、ジパングからスペインに船が来たはずだ。報告書を読んだことがある。四人の少年がフェリペに拝謁し、その後、ヴァチカンで法王の祝福を受け、祖国でのさらなる布教を誓ったとか。少年達の名も書いてあったな……そう、マンショ……確か、マンショという名だった」

　海斗は内心、アッと声を上げる。ようやく、ヴィンセントが話していた日本人が誰なのか、判ったのだ。伊藤《いとう》マンショ――それはキリスト教に帰依した九州の大名達によって派遣された天正遣欧少年使節のことだった。

（この時代だったのか……）

　海斗は日本史の概説本で彼らの話を読んだことがあったが、年代までは気にしていなかった。それに、ヴィンセントが使節団のことを言っていたときは、まだ頭がボンヤリしていたこともあって、全く思いつきもしなかったのだ。だが、ウォードの前では、当然知っているフリをしなければならない。そうでなければ話の辻褄《つじつま》が合わなくなる。

「そうです。一度目が成功したんで、また船を出す気になったんです。俺はクリスチャンじゃありませんが、使節のタナカ様の側仕えとして乗せられました」

　ジェフリーが目を細める。

「水夫ではなく？　船の上は狭い。余計な人間を乗せる余裕はないだろうに」

彼の言う通りだ。海斗は苦心して、もっともらしい理由をひねり出した。

「タナカ様は身寄りのない俺のことを可愛がって下さいました。俺も同行させて、見聞を広めさせようとしてくれたんだと思います」

ジェフリーは海斗の頭の天辺から足の爪先《つまさき》まで見下ろした。

「可愛がる……ふむ、おまえは彼の愛人だったのか？」

「と、とんでもない！」

海斗は目を剝いた。

「タナカ様は敬虔《けいけん》なキリスト教徒ですよ？　そんな罪深いことをするはずがありません」

ジェフリーがクスクス笑った。

「どうかな？　カトリックは本音と建前を使い分ける。罪を犯しても、法王から免罪符を貰えば天国に行けるのだから」

海斗は彼を睨みながら言った。

「俺を教育して、いずれ自分の仕事を手伝わせるつもりだったんです！　とにかく、俺達の船は順調にカナリア諸島まで航海してきました。そして、もう少しでスペインに到着すると喜んでいたそのとき、卑劣なフランスの海賊達に襲われてしまったんです」

ウォードがジェフリーを振り返った。

「サン・マロか、ラ・ロシェルの連中でしょうか？」

「ありえますね。うちの陛下は英国海峡での海賊行為は厳しく取り締まってますから、イングランドの船乗りにしても、フランスの船乗りにしても、獲物はスペイン関係の船しかない」

海斗は悲しみに暮れた様子で言った。

「海賊達は異教徒で、タナカ様や使節の皆さんがカトリックだと判ると、冷酷に海に突き落としてしまいました。俺もすぐに後を追うことになるだろうと思っていたら、船長らしき男が、『子供は仕込みやすいから下働きとして売れる』と言い出して、無理矢理連れ出されたんです。その後、俺は奴らの船内に閉じ込められていたので、自分の船がどうなったかは判りません」

「なるほど。しかし、フランス人に捉えられたはずのおまえが、なぜプリマスにいたのだ？」

ウォードが当然の質問をした。

「判りません。港に着いたと思ったら、目隠しをされて船室から連れ出され、今度はどこかの小屋に監禁されました。海賊達は人買いを待っているんだと言っていましたが……」

「そんな手間を踏むことがあるのですか？」

ウォードの視線を浴びたジェフリーは、ゆっくり顎の左側を撫でながら言った。

「ええ。彼らがこっちで商売するのは珍しいことじゃありませんよ。捌《さば》きにくい商品の場合は特に。その海賊達も、この子の容貌が我々と違っていることが気になったんじゃないですか。フランス人はイングランド人ほど新しい物好きではない」

ウォードは笑った。

「判りますよ。彼らは頭が固いから」

「大国の奢《おご》りという奴ですね。スペイン人もそうですが、自分達の感覚や趣味に合うもの以外を認めない」

「心の広いイングランド人に生まれることができて、私達は幸せですな。さて……」

ウォードは再び海斗に顔を向ける。

「小屋に監禁された後はどうした？」

「売られるのは嫌なので、逃げ出す機会を狙ってました。海賊達は昨日あたりから引き上げの用意をし始めたので、もう時間がないと判って……だから、怖かったけど、皆が船に戻ってて、見張りが手薄になるときを狙って、小屋を飛び出してきたんです」

「縛られてはいなかったのか？」

「はい。ずっと、おとなしくしていたから、反抗するとは思ってなかったみたいです。反抗したところで、すぐに押さえこめると思ってたんだろうし」

「その細腕ではな」

ウォードは頷き、それからジェフリーに言った。

「そのユグノー達は、まだ港にいるでしょうか？」

「調べさせましょう。誰か、ルーファスを呼べ！」

ジェフリーは信頼する水夫長に命令を下すと、海斗を振り返った。

「逃げ出した後、なぜサンティリャーナに殴られる羽目になったんだ？」

ここからが正念場だと、海斗は心の中で自分に言い聞かせる。

「走って、走って、どこをどうやって辿り着いたのか判らないけど、あの丘の上まで来たら、黒い服の男が立っていることに気づきました。彼は港の方を眺めてたんですが、俺がいることに気づくと慌てたみたいで……最初はイングランド人のフリをして、俺に話しかけてきました」

ウォードは首を傾げた。

「そういえば、おまえはどうやって英語を学んだ？　フランシスコ修道会の神父が教えたのか？」

海斗はヒヤリとしながら頷いた。

「俺の先生だったお坊さんは色々な国の言葉を喋《しゃべ》ることができたので、俺は英語を教えてもらいました。スペイン語よりも響きが綺麗だし、動詞の変化や冠詞の区別が少ないし。だから、今では英語の方が得意です」

自分の国の言葉を誉められて、ウォードも悪い気はしなかったようだ。

「そう、英語は合理的で覚えやすいからな。サンティリャーナもすらすらと喋ったのかね？」

「はい。だから、最初はスペイン人だなんて思いもしませんでした」

「だが、顔立ちで判るだろう?」

海斗は首を振った。

「医者のトマソン先生やジェフリー達に会って、国によって人間の顔立ちには違いがあるってことは判りましたけど、あのときはまだスペイン人とポルトガル人にしか会ったことがなかったから、イングランド人がどんな顔をしているか知りませんでした」

「じゃ、なぜ、彼をスペイン人だと見抜くことができたんだ?」

「今みたいに、どうやって俺がヨーロッパに来たかを話していたんです。そうしたら、彼が前の少年使節団のことをあまりにも詳しく知っているから、もしかして、スペインにいたことがあるんですかって聞いたら、急に形相が変わっちゃって……」

嘘をついてごめん、と海斗は心の中でヴィンセント――いや、ビセンテに謝った。最初、彼は海斗を介抱しようとしてくれていた。追っ手がかかっていたという事情を思えば、かなり親切な男だ。スペインがイングランドに敗けるなどということを言って刺激しなければ、海斗に摑みかかってくることもなかっただろう。しかし、この際、彼を悪者にしなければ、海斗にかかった疑惑が晴れないのだ。

ジェフリーが苦笑する。

「何気ない一言に、核心を突かれてしまった訳だな」

ウォードが頷く。

「それも自分の失言が招いた事態だということが許せなかったのでしょう。確かにサンティリャーナらしくない迂闊《うかつ》さだ。それで？」

促されて、海斗は再び口を開く。

「自分の姿を見られたからには、俺をここに残してはおけない、一緒に来てもらうって言われたんです。俺はまた閉じ込められるなんて考えただけでもゾッとしたから、慌てて逃げようとしました。そうしたら……」

海斗は自分の身体を抱くようにして、そのときの恐怖に耐える芝居をした。

「後ろから乱暴に突き飛ばされて、丘の下まで転がされました。身体のあちこちを打って動けなくなっているのに、あいつは俺の上に馬乗りになって、何度も頭を地面に叩きつけたんです。そのうちに気が遠くなって、次に目覚めたときはトマソン先生の家のベッドの上でした」

ウォードは海斗の腕や足に巻かれた包帯を見て、ジェフリーに聞いた。

「なぜ、ひと思いに切り殺さなかったんでしょうね？」

ジェフリーは肩を竦める。

「事故を装いたかったんじゃないですか？　死体……それも殺人の痕跡《こんせき》がある死体が発見されれば、騒ぎは避けられません」

ジェフリーはひたと海斗を見据えたまま、言葉を継いだ。

「確かにこの子は頭を強く打っていて、目覚めた当初は自分の名前さえロクに言えませんでした。それに加えて、俺の部下も船上から丘に黒服の男がいたことを確認しています。カイトの言葉に嘘はないようだ」

ウォードは眉を顰める。

「しかし、解せませんな。なぜ人目を忍ばねばならない男が、身を隠すものとてない丘の上になど立っていたのでしょう？」

「彼はプリマスから逃げるのではなく、偵察しに来ただけなのでは？　我が国がどれだけ海軍を強化しているかは、スペインも気にしているはず。それに大陸に逃げ出すなら、ドーヴァーの方が近い。わざわざ、ここまで来るメリットはありません」

「では、港を封鎖するのも無駄だと？」

ジェフリーは頷いた。

「残念ですが、今の話を聞いた後ではそう思わざるを得ませんね。だいたい、カイトが襲われたのは昨日の話です。変事が起こったからには、長居は無用。別のルートを使って、今度こそイングランド脱出を図っているのではないでしょうか」

ウォードは唇を嚙み締めた。

「あなたのおっしゃる通りでしょうな、キャプテン。となれば、私どもも次の手を打たなければなりません」

ジェフリーが申し出た。

「とりあえず早馬を出して、南西部の港を全て封鎖させましょう」

「お願いします。ああ、ロンドンに戻るのが嫌になりますよ。この話を聞いたら、せっかくのサーのご機嫌も悪くなること請け合いですからな」

ウォードは海斗を見つめた。

「この少年がサンティリャーナと出会わなければ、彼をここで捕まえることができたかもしれない……いや、他人のせいにするのは止めましょう。間が悪かったのです」

非難されるのではと身構えていた海斗は、その言葉を聞いてホッとした。

ジェフリーが彼の肩に手を置いて言う。

「私の部下が発見したのですから、カイトは私が面倒を見ようと思います。おそらく元の主人は命を落としていることでしょうし、送り返してやるにはジパングはあまりにも遠すぎる」

ウォードは頷いた。

「それがよろしいでしょう。キャプテンと一緒なら、常に居場所は明らかだ。サー・フランシスがその子に会ってみたいと思われたとき、すぐに連絡が取れますし……」

「閣下は興味を示されるでしょうか？」

「おそらく。というのも、ビセンテ・デ・サンティリャーナを間近で見て、話をした者が非常に限られているからなのです。手配書に書き加えられる情報は、多ければ多いほどいい」

海斗は恐怖に満ちた目でジェフリーを振り返った。

ジェフリーは目顔で『大丈夫だ』と合図をすると、ウォードに微笑む。

「ご要望があれば、今度の航海に出資して下さったことへのお礼かたがた、私が連れて参りましょう。サー・フランシスによろしくお伝え下さい」

「判りました。では、ごきげんよう」

ウォードが去っていくのを見計らって、海斗はジェフリーの手を払い除けた。

「嘘つき！　俺のこと、ウォルシンガムに売る気だな！」

ジェフリーは顔を顰める。

「サー・フランシスだ。女王陛下を除けば、当代一の実力者だぞ。言葉に気をつけろ」

「こんなときに、気を遣ってなんかいられるかよっ！」

「何をいきり立っているんだ？　俺は嘘なんかついていない。今だって、おまえをウォードに渡したりしなかっただろうが」

「今は、だろ！　呼ばれたら、連れていくって言ってたじゃねーか！　嫌だっ！　俺は絶対、ぜーったい、ロンドンなんか行かねーからな！」

ジェフリーはぐるりと目玉を回した。

「何と騒がしい。パナマの鸚哥《インコ》並みだな」

「うるせーのはそっちだ！」

ジェフリーの眼差しが冷たくなる。

「何をそんなに狼狽えている？　ウォードにした話がデタラメだったからか？」

「違う！」

「だったら、騒ぎ立てるのは止せ。見苦しいし、疑われるだけだぞ」

海斗は拳を握り締める。どうせ、ジェフリーには他人事だ。だが、海斗は自分の不安を彼に理解してもらいたかった。そう、誰か一人ぐらい、同情してくれたっていいはずだ。

「俺は怖いんだよ。知らない人間の所に行かされるのは怖い……」

ジェフリーが意地の悪い笑みを浮かべた。

「俺だって『よく知らない人間』だろう？　おまえがそう言ったくせに」

「あ、あんたは俺を助けてくれたし……」

「正確に言えば、助けたのは部下達だ」

「で、でも……」

「俺じゃなくて、ルーファスに面倒を見てもらうか？」

「そんな……っ」

途方に暮れる海斗の姿をたっぷり愉しんでから、ジェフリーは言った。

「タナカはおまえのことを甘やかしていたらしいな。こんなに行儀が悪いのでは、人前に出すこともできないではないか。おまけに、その使用人にしては横柄な態度。やはり、彼の寝室に侍《はべ》って、寵愛されるだけの稚児《ちご》だったんだろう？」

「違うってば！　そんなんじゃない！」

海斗はムッとした。よくも、それだけ好き勝手を言ってくれるものだ。

「まあ、俺はどっちでもいいがな」

ジェフリーは近くの椅子に腰を下ろし、長い足を組んだ。

「さて、ウォード殿に面倒を見ると宣言したはいいが、どうしたものかな？　さっきも言ったが、俺が船で寝起きしているのは次の航海が迫ってるからだ。船乗りでもないおまえを一緒に連れていくべきか、それとも誰かに預けていった方がいいのか……」

やはり、そこが問題だ――海斗は息を潜めて、次の言葉を待った。

「船に積める食料は限られている。ムダ飯喰らいを養う余裕はない……が」

ジェフリーはまた左の顎を撫でる。それは彼が考え事をしているときの癖らしい。

「俺がいない間に、サー・フランシスの呼び出しがかかるかもしれないしな」

「嫌だ！」

海斗は咄嗟《とっさ》に叫ぶと、ジェフリーの前に跪《ひざまず》いた。

「頼むから、置いてかないでくれよ」

「俺の手にキスでもするつもりか？」

「してもいいから、見捨てないで！　船乗りの仕事も頑張って覚えるから！」

ジェフリーは微笑み、青ざめた海斗の頬に触れた。

「騒がしいし、礼儀もなっていないが、可愛げはあるな。よし、ウォードが言っていたように、おまえを俺のキャビン・ボーイとして雇おう。食い扶持《ぶち》を稼がせてやるよ」

「キャビン・ボーイ？」

「俺の身の回りの世話をする役目だ。タナカ相手に慣れている仕事だろう？」

「う、うん」

「違う」

ジェフリーは一転して厳しい声を上げた。

「『アイ・サー』だ。否定する場合は『ノー・サー』。何か喋ったら、最後に必ずサーをつけておけば間違いはない」

海斗は戸惑う。

「でも、さっきはサーって言うなって……」

「それは、おまえが俺の船に乗ると決まっていなかったからだ。だが、水夫になったからには、船長に敬意を払え」

「俺、水夫になったの？」

「まだ見習いだがな。半人前のキャビン・ボーイ殿」

ジェフリーは海斗の頬を優しく撫でる。

「止めるなら、今のうちだぞ。おまえも遠いジパングから旅をしてきたから知っているだろう

が、航海に危険はつきものだ。生きて帰れるとは限らない。病気や飢餓、座礁や嵐《あらし》による横転
――海はきまぐれな女のようで、その美しさで船乗りを魅惑するかと思えば、残酷に突き放して命を奪う。おまえも、ここに残って、サー・フランシスと話をしていた方がマシだったと後悔するかもしれないぞ」

ジェフリーの言う通りだということは、実際に航海などしたことがない海斗にも理解できる。飢え死にしたり、溺れ死ぬのは辛《つら》そうだから嫌だ。だが、とり残されるのも怖い。長い逡巡の末に、結局、海斗はキャビン・ボーイになる道を選んだ。確かにジェフリーのことはよく知らないが、それでも、この世界で頼りになるのは彼だけだったから。

「一緒に行く……連れてってよ。俺、独りぼっちになるのは嫌だ」

ジェフリーは俯いた海斗の顎を指先で押し上げると、身を乗り出して頬に口づけた。

「な、なん……っ！」

海斗は慌てふためき、急いで背後に飛びすさろうとして尻餅《しりもち》をついてしまう。

ジェフリーが吹き出した。

「なんて格好だ。悲しそうな顔をしてるから、慰めてやろうと思ったのに」

海斗は顔を真っ赤にする。

「い、いらない！　そんなの！」

「一度注意されたら忘れるな。『いりません、サー』だ」

ジェフリーは羽飾りのついた帽子をテーブルに投げると、輝く黄金の頭を軽く掻き乱して、髪についた癖を直す。実に寛《くつろ》いで優雅な仕草だったが、海斗は落ち着けなかった。

「キャ……キャビン・ボーイって、ベッドの相手もしなくちゃいけないのか？」

ジェフリーは微笑む。

「だとしたら？　断る？」

「あんたは人でなしだっ」

海斗は地団駄を踏む。断れないと知っていて意地悪を言うジェフリーが憎かった。

「本当に男と寝たことはないのか？」

ジェフリーがぬけぬけと聞いてくる。

「あるかっ！」

「女の方が好き？」

「そんなこと、あんたに関係あるのか？」

「ないな。単なる興味だ」

ジェフリーはくすくす笑った。

「おまえが言うとおり、タナカは聖人のような男だな。何の見返りもなく、おまえの面倒を見、教育まで授けてくれたのだから。だが、俺は彼とは違って敬虔な男でもないし、お人好しでもない。いずれ、それなりの謝礼は頂くつもりだ」

海斗は身構える。

「お……俺に触ったら……」

「どうする？　殴るか？」

「噛みついてやる」

「ますます鸚哥のようだ。黄金の国から流れてきた珍しい鳥……他人に渡すのはもったいないから、俺の籠《かご》に入れておこう」

ジェフリーは腰を上げると、咄嗟にファイティングポーズを決めた海斗の脇を擦り抜け、大きな木箱の前で立ち止まった。

「針仕事はできるか？」

海斗はぽかんと口を開けた。

「は？」

「縫い物ができるかと聞いている」

「で、できない」

「やれやれ。では、マーシーという帆職人を探して、これをおまえの寸法に合うように直してもらえ。俺の命令だと言ってな。そら！」

ジェフリーは箱の中から中綿の入った厚手の上着と木綿のシャツ、そして彼も穿《は》いているような幅広のホーズを取り出し、海斗に放った。

「うわ……っ」

海斗は床に落とさないよう、慌てて服を抱き抱える。

「やるよ。おまえの国の服は面白いが、イングランドの気候には合わない。タイツと靴は後で買ってやる。おまえは足裏の皮もヤワそうだ」

「あ……ありがとう……ございます」

海斗は戸惑いながら礼を言った。

「そうだ。俺の慈悲深さに感謝しろ。そんな良い服を着ることができるキャビン・ボーイは、イングランド広しといえど、おまえぐらいのものだ」

「キャプテンの羽振りがいいおかげで……」

「ほう、全くの役立たずかと思っていたが、おべっかぐらいは使えるらしいな」

ジェフリーは青い瞳《ひとみ》に面白がるような光を宿らせると、海斗に歩み寄る。そして、再び緊張に身を強ばらせた海斗の前髪を人差し指で掬い、器用に巻きつけた。

「気に入ったぞ、カイト。おまえは毛色が変わっているし、どこか秘密めいたところがある。フランス人どもと違って、俺は新しい物にそそられる質でね」

抱き締められるのではないかと思った海斗は、奥歯に込めた力を抜いて、いざというときに噛みつけるようにする。

ジェフリーはその気配に気づくと、赤い髪が絡んだ指をクイッと引っ張った。そして、縛《いまし》めを失った指先で、海斗の額を小突く。

「……てっ！」

「だが、とりあえずは手出しをしないでおこう。乗組員と寝ると、ルーファスがいい顔をしないからな」

ジェフリーはもう一度木箱の中に手を突っ込み、何かを探しながら言った。

「残念だったな、カイト。船の上にしてはまずまずの寝心地を持つ俺の簡易寝台《コッド》ではなく、堅い床の上がおまえの住みかになるという訳だ」

海斗はあからさまに安堵《あんど》の溜め息をついた。

「その方がいいです、サー」

ジェフリーが朗らかな声をたてて笑った。

「早速、言葉遣いも直すか。ちゃっかりした奴だ」

「一度、注意されたことは忘れません」

海斗もにっこりする。こちらに来てから初めて、自然に浮かび上がってきた笑みだった。

「俺もその言葉を忘れないぞ。では、マーシーのところに行ってこい。ちゃんと服を着たら、次はルーファスからキャビン・ボーイの仕事を教えてもらえ。それが済んだら、ここに戻ってきて任務を果たせ」

「アイ・アイ・サー」

敬礼をした海斗を見て、ジェフリーは首を振る。

「ふざけた奴だ。まったく、とんだお荷物を背負い込まされたな」

彼は木箱の中から酒の入った壜《びん》を取り出し、それを口に啣《くわ》えた。飲まずにはいられない気分になったのだろう。

（確かに、いきなり俺みたいなのを拾ったら、扱いに困るよな。なんだかんだと文句を言ったけど、ジェフリーは良くしてくれてる方だ。服もくれたし、靴も買ってくれるみたいだし……）

海斗は船長室を後にしながら、すぐにお荷物扱いを止めさせてみせると心に誓った。それが今の彼にできる唯一の礼だったから。

6

ルーファスに教えられた通り、船長室の床磨きをしていた海斗《かいと》は、ふと強い視線を感じて顔を上げた。洗浄剤として使っているワインビネガーの匂《にお》いを飛ばすために開け放った扉の所に男が立っている。年頃はジェフリーと同じぐらいで、身長は彼よりも高く、絹の眼帯に覆われた右目と、それを補うかのように鋭く光る灰青色の左目が印象的な青年だ。髪は黒に近い褐色で、短く刈られていた。おそらく、手入れが簡単に済むようにだろう。

（ハンサムだけど、怖そうな人だ）

それはともかく、彼はそこで何をしているのだろうか。もしかして、ジェフリーを待っているのか。海斗は聞いてみることにした。

「あのー、船長なら甲板に出てますけど?」

「知っている」

男は深みのある声で、憂鬱《ゆううつ》そうに言った。

「噂《うわさ》のキャビン・ボーイを見にきただけだ」

見せ物扱いされて、海斗はムッとした。

「あなたは？」

「ナイジェル・グラハムだ。しかし、この先、おまえがそれを口にする機会は一切ない。俺のことは航海長《セイリング・マスター》と呼んでもらおう」

つまり、ジェフリーの次に偉い男という訳だ。だが、ナイジェルの方が偉そうにしていると、海斗は思った。

「アイ・サー」

「一応、礼儀は心得ているようだな」

ナイジェルは刺《とげ》のある視線で、海斗を見下ろした。

「その服は船長に貰《もら》ったのか？」

海斗は頷《うなず》いた。

「靴と靴下も買ってくれました」

「見せてみろ」

「アイ・アイ・サー」

立ち上がった海斗の足元に目をやって、ナイジェルは鼻を鳴らした。

「ふん……」

何が気に食わないのだろう。居心地の悪さに、海斗はもじもじする。

「スペイン船に乗っていたそうだな?」

ふいにナイジェルは話題を変えた。

「違います。俺が乗ってたのは、ジパングからスペインに行く船です」

「ルートは?」

海斗は天正遣欧少年使節団が辿《たど》った航路を思い起こす。確か、南回りだったはずだ。

「ええと、まずマラッカに行って、次がマドラス、それからマダガスカルに寄って、喜望峰を回った後、カナリア諸島の手前まで行きました」

「航海は順調だったか?」

「はい。ただ、喜望峰で少し荒れて……」

海斗は苦笑してみせる。

「俺、船酔いが治らない質らしくて、そのときは苦しかったです」

穏やかそうなイメージの名前とは裏腹に、その岬の近辺は波が高いことで有名だ。しかし、この時代、それは船乗り達しか知らない情報のはずだった。だから、この気難しそうな航海長も自分の話を信じるに違いないと、海斗は思っていた。だが、

「そう言えと、スペイン人どもに仕込まれたのか?」

ナイジェルは冷ややかに言った。

「違います!」

顔色を変えた海斗を見て、ナイジェルは薄笑いを浮かべた。

「ほう、どう違うんだ？」

「俺はタナカ様の従者で、スペイン人に仕えていた訳じゃありません」

「だが、証人も居ない以上、それが真実かどうかを証明する術《すべ》はない。俺は疑り深い男でな。おまえは運悪く黒衣の男とやらに出会い、暴行を受けたあげく、放置されたとキャプテンに泣きついたそうだが、それも同情を買い、グローリア号に乗せてもらうための作り話ではないのか？　本当はおまえもスパイで、プリマスの内情を調べにきたんだろう？」

「そんな……！」

海斗は顔色を変えた。せっかく、落ち着き先が決まったと安堵《あんど》していたのだ。今になって横槍《やり》を入れられてはたまらない。

「誤解ですよ。キャプテンに助けを求めたのは、他に頼る人がいなかったからです。それに、もし本当に俺がスパイだったとして、このまま航海に出ちゃったら、どうやって仲間と連絡を取ればいいんですか？」

「さあな」

ナイジェルは海斗を睨《にら》む。

「とにかく、これだけは覚えておけ。俺はおまえを信用していない。おまえの行動はいつでも見張られている。昼も、夜も――一人になれるのは夢の中ぐらいのものだ」

いや、夢の中にだって現われそうな執念だと思って、海斗はゾーッとした。

そのとき、ナイジェルの背後から、二人を揶揄《やゆ》するような声が上がる。

「やれやれ、早速、脅しつけたり、つけられたりしているらしいな」

ジェフリーだった。彼は航海長を困ったように見つめる。

「大人げないぞ、ナイジェル。カイトを乗船させることに関しては、さっき話がついただろう。つまらん言いがかりをつけて、坊主の仕事の邪魔はするな」

ナイジェルは仏頂面になる。

「言いがかりなんかじゃない。釘《くぎ》をさしているだけだ」

「思い込みでカイトを悪者扱いするのは止せ。おまえがそんな態度を取っていれば、他の奴らもこいつに辛《つら》く当たるようになる。そうなれば、日々の仕事にも差し障りが出てくるだろう。俺は快適そのもののグローリア号の空気が、刺々しくなるのはごめんだぞ」

ナイジェルは苛立《いらだ》ったように溜《た》め息《いき》をついた。

「その快適な空気を維持するのが、どれだけ難しいか……些事《さじ》に拘《こだわ》らないあんたの代わりに、グローリア号の規律を徹底させているのは誰だと思っている?」

ジェフリーは微笑《ほほえ》んだ。

「おまえの細かい心配りについては、いつも感謝をしている。だが、この新顔については、俺が責任を持つ。おまえに面倒はかけない」

「当たり前だ」

ナイジェルは歯を食いしばるようにして言った。

「何の相談もなく、乗員を増やすことは止めて欲しい。倹《つま》しい予算でやりくりしている俺の身にもなってくれ。ただでさえ食料の値段は上がる一方なのに、店主どもは船乗りと見て取るなり、さらに高値をふっかけてくる。あいつらはケチなスペイン野郎より質が悪いぞ。敵ではないから、切って捨てることもできん」

「判った。判った！」

ジェフリーはナイジェルの肩に手を置き、煌《きら》めく左目を覗《のぞ》き込んだ。

「この船が順調に航行できるのは、おまえの献身あってこそだ。これからはキャビン・ボーイを雇うときには、真っ先に相談する。それでいいか？」

ナイジェルは不承不承頷き、溜め息をつく。

「そんなしおらしいことを言っていても、どうせ、あんたは自分の好きにするんだ。そして、俺はといえば、あんたに甘すぎる」

ジェフリーは微笑んだ。

「それがおまえを航海長にしている理由だよ、グラハム君。誰もが欲しがるほど有能な船乗りの上、誰よりも俺に親切にしてくれる友を得ることができた俺は幸せ者だ」

「ふん、俺はあんたと出会ったのが運の尽きだったな」

そんなことを言っていても、ジェフリーのことが好きでたまらないことは、ナイジェルの顔を見ていれば判る。

（ルーファスといい、ナイジェルといい、どうやら、グローリア号の乗組員は一人残らず、ジェフリーに誑《たら》し込まれているらしい）

海斗はその凄腕《すごうで》ぶりに感心した。確かに、抜きんでたカリスマ性を持たない船長に、荒くれ揃《ぞろ》いの海の男達をまとめ、従える力があろうはずがない。もっとも、今のところ、海斗が目にしているのはジェフリーの男振りの良さだけだが。

「キャプテン、またもやサー・フランシスのお使いですぜ。シェア殿です」

先程、檣楼から声をかけてきた男、ユアンが新たな客の到着を報《しら》せにきた。

「こちらにお通ししてくれ」

「へいっ」

一目散に駆け戻っていくユアンの後ろ姿を見送って、ジェフリーが肩を竦《すく》めた。

「いつものことだが、出航が迫ると何かと慌ただしくなるものだ」

「ああ。海に出てしまったら、連絡を取るのが難しくなるからな」

ナイジェルはそう言うと、海斗を振り返った。

「来客の間、おまえは甲板に出ていろ」

使者の話を聞かせないためだろう。ナイジェルは海斗の乗船を一応認めたものの、仲間として受け入れる気持ちはさらさらないのだ。相変わらず、彼にとって海斗は厄介者、マークすべき不審人物に過ぎなかった。

(仕方ないか。何もしてないのに一方的に嚙《か》みつかれるのはムカつくけど、今のところ、俺は得体の知れない外国人だもんな)

海斗は内心、溜め息をつく。ナイジェルは自分の職務に忠実なだけだ。確かに、反対の立場だったら、海斗も彼のことを不信の眼差しで見ていたかもしれない。

「待て」

だが、素直に命令に従って出ていこうとする海斗を、ジェフリーが引き止めた。それから、彼はナイジェルに告げる。

「シェア殿にもカイトを紹介しておこう。物事には釣合いというものがある。ウォルシンガム閣下の部下にだけ引き合わせていたことがバレたら、後が面倒だ」

ナイジェルがうんざりしたような顔になる。

「また意地の張り合いしてるんですか、あの人達は……」

「というより、熾烈《しれつ》な縄張り争いだろうな。我々の閣下はできれば政府の中枢に食い込みたい、そして秘書長官殿は海軍のことに口を出したくて仕方がない。そして、お互い、自分の利権は小指の先ほども譲り渡したくないという訳だ」

「反目し合うのはお二人の勝手だが、それにいちいち我々を巻き込んで欲しくない」

「まったくもって同感だが、悲しいかな、卑しき身分の俺達には、権威ある閣下にそんな無礼な口をきくことは許されないんだよ」

諦《あきら》めたように言って、ジェフリーは海斗に向き直った。

「という訳だ。おまえも同席しろ」

「はい。あの……サー・フランシスって名前の人は、一体何人いるんですか？」

ジェフリーは肩を竦めた。

「我々と直接関わりがあるのは二人だけだ。今度の使者を送ってきたのはサー・フランシス・ドレイク――――プリマス、いや、全イングランドが誇る英雄だ」

海斗の胸を衝撃が走り抜ける。ドレイク本人ではないことは判っていた。それでも、直接、彼の命令を受けた人物に会うのかと思うと、自然と動悸《どうき》が高まってくる。

「動揺しているようだな」

そんな彼の姿を、ナイジェルが目を眇《すが》めて見ていた。

「閣下のことを知っているのか？」

下手にしらを切れば、疑いを深めるだけだろう。海斗は素早く考えを巡らせた。そう、確か、世界周航を成し遂げたドレイクのことは、ヨーロッパ中の話題になっていたはずだ。

「一緒の船に乗っていたスペイン人が話してくれました。その……とても恐ろしい船長だと」

ジェフリーが片方の眉《まゆ》を上げる。

「気を遣わなくてもいい。どうせ、恐ろしい海賊だと言っていたんだろう?」

「その通りです、サー」

「安心しろ。その恐ろしさも、味方には頼もしく感じられるものだ」

ナイジェルが鼻を鳴らし、嫌味っぽく言った。

「『味方』ならな」

「茶々を入れるな、ナイジェル」

ジェフリーは彼を諫《いさ》めると、海斗に向き直った。

「シェア殿にさっきと同じ話をしろ。こちらのサー・フランシスは俺の判断を尊重してくれる。おまえは何も心配する必要はない」

海斗はホッとして頷いた。ナイジェルの冷たい敵意を浴びた後では、ジェフリーの心遣いが身に沁みる。その一方で、海斗はますますジェフリーに依存してしまいそうな自分が怖かった。彼のことを完全に信用している訳ではないのに。

そこにユアンの案内で、見事なブロンドの巻き毛を持った男が現れた。ドレイクが送り込んだ使者、シェアだ。

「やあ、ロックフォード殿。秘書長官の部下が、ここ一番の大捕り物に失敗したそうですね」

ジェフリーは苦笑する。

「さすがはシェア殿、どこで聞きつけてきたんです?」

「ご近所の船長からですよ。人は己れの失態でさえなければ、喜んでそれを語ろうとするもの。私はサー・フランシスの耳の代わりになって、あの方が興味を持てそうな話を聞き集めているのです。もちろん、ウォルシンガム様に関することは、一番の関心事でしょうな」

ジェフリーは頷いた。

「いずれ、ご報告に上がろうと思っていましたが、ちょうどあなたがいらして下さったことですし、詳細はあなたの口からお伝え願えますか？」

シェアは肩を竦めた。

「喜んで……と申し上げたいところですが、その役目はキャプテンのものになりそうですよ。サー・フランシスのご伝言は、早急に相談したき旨あり、バックランド・アビィに来られたし、とのことでした」

「お屋敷に？」

「はい。僭越《せんえつ》ながら、馬もご用意させて頂きました。それと、今からでは日帰りするのは大変ですので、アビィにお部屋を調えてございます」

「それは用意周到な……」

ジェフリーは背後に控える海斗とナイジェルを見る。海斗は思わぬ展開に心臓が飛び出しそうになってしまい、胸元を押さえていた。ナイジェルは使者に気づかれないように、僅《わず》かに首を振っている。ジェフリーは二人に肩を竦めてみせると、シェアに言った。

「お気遣い、いたみいります。ただ、もう一人、閣下に紹介したい者がいるのですが」

「どなたでしょう?」

ジェフリーは海斗を手招き、自分の前に立たせた。

「この少年です。名前はカイト。秘書長官殿の獲物に襲われ、気を失っていたところを、私の部下が発見しました」

「これは……!」

シェアは目を見開き、穴が開くほど海斗を凝視した。

「な、何というか……奇妙な顔をしていますな。頬骨《ほおぼね》が発達していないし、鼻も低い。それに、その見たこともないほど真っ赤な毛はどうでしょう」

海斗はその言葉を聞いて、おかしくなった。確かに、立体的な顔の骨格を持つ白人種にしてみれば、黄色人種の顔立ちは平坦に見えるに違いない。もし、ここに母の友恵《ともえ》がいたら衝撃を受けていただろう。何しろ、彼女は『奇妙』と言われた海斗の顔は自分譲りだと公言してきたのだから。

「新大陸の原住民ですか?」

「いいえ。彼はジパングからやってきたのです」

シェアは驚愕《きょうがく》の表情を浮かべた。

「なんと!」

「本当です。サー・フランシスも彼の数奇な運命に興味を持たれるでしょう。それに、アジア航路についての情報も聞くことができます」

シェアは熱心に頷いた。

「それは素晴らしい。私もぜひ同席させて頂きたいものです。となれば、早速、彼の馬も用意しなければ……」

「ちょっと、お待ちを」

ジェフリーはシェアを押し止めると、海斗に聞いた。

「乗馬をしたことは？」

海斗は興奮に乾き切った喉《のど》から、ようやく掠《かす》れた声を上げた。

「い、一度だけ……」

「では、俺と一緒に乗っていった方がいいな。落馬して首の骨でも折ったら一大事だし、初心者に足並みを合わせていたのでは、いつバックランド・アビィに到着できるか判らない」

ジェフリーはシェアを見た。

「という訳で、馬は結構です。それと、サー・フランシスにお目にかかるとなれば、服を改めなければなりません。申し訳ありませんが、埠頭《ふとう》の方で少しお待ち頂けますか？」

「判りました。では、また後ほど」

使者が出ていくのを見送って、ジェフリーは海斗に命じた。

「こんなことなら、着替えるんじゃなかったな。さっき衣裳箱にしまった服を出せ」

「アイ・アイ・サー！」

いそいそと衣裳箱に向かった海斗を睨みつけながら、ナイジェルが言う。

「俺も行く」

「必要ない」

「なぜ、そう言い切れる？」

ジェフリーに言下に断られたナイジェルは、カッとして詰め寄った。

「あいつがスパイじゃなくて、刺客だったらどうするんだ？　サー・フランシスの命を奪えるなら、スペイン人はどんな汚い手でも使うだろう」

ジェフリーが苦笑した。

「あんな頼りない殺し屋しかいないのなら、陽の沈まぬスペイン帝国にもいよいよ夕暮れが迫ってきたってことだ。おまえ、カイトの手を見たか？　ほっそりとして、深窓の姫君も顔負けの嫋《たお》やかさだ。いや、刺客にするなら、例のフェリペの愛妾《あいしょう》の方がまだ才能があると思うね」

「人を殺す道具は何も剣だけじゃない。非力なら毒薬を使うという手もある」

「期待を裏切って申し訳ないが、危険物は一切、身につけていない。トマソン先生の所で身体検査済みでね」

「拘束されていなければ、後から手に入れることもできるぞ」

「やれ、やれ……」

一歩も引き下がらないナイジェルに、ジェフリーが根負けする。

「判った。そこまで言うなら、カイトがおかしな真似《まね》をしないよう、俺がベッタリくっついて見張っていよう。それでいいな？」

「おざなりでなければ……」

「やると言ったからには、責任を持つ。どうせ、おまえの杞憂《きゆう》に終わると思うがな」

それきり着替えに行こうとするジェフリーの腕を、ナイジェルが摑《つか》んだ。

「俺だって単なる気の迷いであって欲しい。だが、あいつの舌は滑らかすぎる。あらかじめ、こちらがするであろう質問を考え、それに対する答えを練習してきたような用意周到さを感じるんだ」

服を抱えて戻ってきていた海斗は、ナイジェルの言葉を聞いてヒヤリとした。何という鋭い観察眼だろうか。何かを聞かれたら、すぐに返事をしなければ怪しまれてしまうと思ってきたが、『待ってました！』とばかりに速答するというのも、また問題があるようだ。

「つまり、子供にしては、話に整合性がありすぎるということか？」

ジェフリーの問いに、ナイジェルは頷く。

「そうだ。誰かに入れ知恵されているとしか思えん」

「だが、こう考えることもできるだろう。カイトの舌が滑らかなのは、生来おしゃべりなため。

用意周到な返答ができるのは、彼の聡明《そうめい》さと用心深さゆえだと。カイトがその幼い外見からは信じられないほど賢かったからといって、罪に問うことはできまい」

「賢い？　狡猾《こうかつ》の間違いだろう？」

「それも見る者の眼によるな」

突き放すように言ったジェフリーに、ナイジェルはいきり立った。

「だったら、俺のをくれてやる！　この通り、片方だけしかないが、二つ揃っている奴らより、よほど精度は高いぞ！」

「せっかくのご好意だが、遠慮しておくよ。とにかく、俺の心は変わらない。おまえはここに残って、出航の準備を続けてくれ。以上だ」

ジェフリーは話を切り上げ、服を抱えたままの海斗に歩み寄る。

こうなったら、ナイジェルも諦めるしかない。彼も口にしたように、どうせ、ジェフリーは自分の思い通りにするのだ。失望の思いに顔を曇らせながら、ナイジェルは憤然と船長室を後にする。

その一方で、海斗は興奮の極みに達していた。

(逢《あ》える……ついにドレイクに逢えるんだ)

結局、和哉《かずや》と行くことは叶《かな》わなかったバックランド・アビィ——一九三八年に起こった火災でダメージを受けた西棟も、今なら見ることができる。何しろ、ドレイクはこの家を六年前に手に入れたばかりなのだ。自分を取り巻く混沌《こんとん》とした状況や、不安定な立場を鑑《かんが》みれば、単純に喜んでいる場合ではないということは判っていたが、やはり、海斗は憧《あこが》れの人物に逢えることが嬉《うれ》しかった。

（あーっ、緊張するぜ！　ホンモノはどんな顔をしてるんだ？　どんな声で話すんだろう？　太くて、腹の底に響く感じ？　それとも、キンキンと甲高かったりして。わー、ヤダ、そんな の『悪魔の竜』とまで言われた男のイメージに合わねえ）

すっかり舞い上がっている海斗に、ジェフリーが声をかけた。

「カイト、後ろの紐《ひも》を結んでくれ」

「は、はい」

海斗は慌てて振り返る。そう、感激していることを悟られてはまずかった。海斗は冷静になるよう、自分に言い聞かせながらジェフリーの服に手を伸ばす。そして、あらかじめホーズの腰回りに開けられた小穴に通されている紐を、上着《ダブレット》の裏地の裾《すそ》に穿《うが》たれた小穴に潜らせては、上下を結びつけていった。ズボン吊《つ》りが存在していない時代なので、この方法でホーズがずり落ちるのを防いでいたのだ。しかも、ダブレットの表地は裏地より裾が長くなっていて、背広の有蓋《ゆうがい》ポケットのように、見栄えの悪い紐の結び目を覆い隠すことができる。海斗はその立体的で装飾的な構造に感心した。もっとも、着替えるたびごとに、いちいち紐を結んだり、解いたりしなければならないのは面倒だったが。

（この穴って何個あんのかな？　五十ぐらい？　これ、全部留めると、蛇腹みたいに細かい襞《ひだ》になるんだろうな。五個おきに留めたら、カーテンのドレープのようなゆったりしたラインが出せるはずだ。ジェフリーの好みはその中間ぐらいか……）

海斗は帆職人のマーシーに感謝した。彼が寸法直しをしながら衣服の仕組みを説明し、その着方を教えてくれなければ、こうしてジェフリーの手伝いをすることもできなかっただろう。

「今まで、誰に紐を結んでもらってたんですか？」

せっせと指を動かしながら、海斗は聞いた。

「決まった奴はいない。通りがかりの連中に頼んでいた。船乗りはロープ・ワークが上手《うま》いから、誰に任せても手早いし、まあまあの出来だ」

ホーズの前開きのホックを留めながら、ジェフリーが答える。当然、十六世紀にはジッパーは存在しないので、フロント部分は内側に布製の覆いを取りつけ、錫《すず》製のホックや木の実を芯《しん》にした包《くる》みボタンなどで開口部を開閉するようになっている。

（『コッドピース』の流行が終わってて助かったよ）

ジェフリーを盗み見て、海斗は心の中で微笑む。

コッドピースというのは、ホルバインが絵筆を取った有名なヘンリー八世の肖像画にも描かれている装飾用の布袋のことだ。股間に取りつけられ、その下に隠されたものを立派に見せるために何枚も布を裏打ちしたり、ぎっしり綿を詰めたり、果ては財布代わりに金貨を入れたりしたという。

ふと、歴史のフォックス先生の言葉を、海斗は思い出した。

「かくも男の見栄とは微笑ましい。私としては、この流行がさっさと廃《すた》れてくれたことに感謝しているよ。粗末なコッドピースをつけていては男の甲斐性《かいしょう》を疑われそうだし、反対に豪華で大きなものをつければ、今度は中身がお粗末なのではといらぬ邪推を招きそうだ。いずれにしても、私のプライベートな部分に、他人の注目が集まり続けることには、到底耐えられそうにもないからね」

海斗もフォックス先生と同感だった。とにかく、あんな不格好《ぶかっこう》なものをつけずに済んだことは幸いだ。

「できました」

全ての紐を結び終えた海斗は、ダブレットの裾を整えながら言った。

「今、思ったんですけど、服を脱ぐときに後ろの紐を解かないでおけば、時間の節約になるんじゃないですか？」

ジェフリーは肩を竦めた。

「俺もそう思って、試したことがある」

「結果は？」

「身体と服の間に妙な隙間《すきま》ができて、見端《みば》が悪かった。やはり、不精すれば、それなりの姿にしかならないということだろう」

「なるほど……」

グローリア号の船員達や、二人のサー・フランシスの使者の服装を見て、海斗は悟っていた。ジェフリーは恐ろしく着道楽の上、稀《まれ》に見る着こなし上手な男だということを。

（粋《いき》なんだよね。ド派手な服を着てたって、下品にならないし）

ジェフリーはどの服が自分を引き立たせてくれるのか、どのように身につければ最も美しく見えるかを知っているのだ。海斗が見るところ、そんなジェフリーに憧れて、明らかに彼を真似た服装をしている船員達も少なくなかった。

（武骨でオシャレなんて興味がなさそうなルーファスは別にしても、この船に乗ってる奴らは伊達男《だておとこ》揃いだよな。あんまり誉めたくないけど、航海長だってパッと眼を引くし……）

格好いい奴だと言われたい――その気持ちは、どの時代の男にも共通している。海斗もこうして着替えを手伝いながら密《ひそ》かにジェフリーを観察し、彼のセンスを盗むつもりだった。グローリア号のキャプテンはただ船を率いるだけではなく、希代のファッション・リーダーでもあるのだから。

この船の上では一番マシだという簡易寝台《コット》の脇に立てかけておいた長剣を取ったジェフリーは、それを腰に巻いた革の剣下げに吊すと、海斗が差し出すマントを受け取った。

「では、出発しようか」

そう告げるジェフリーを、海斗が引き止める。

「ちょっと待って。衿《えり》が……」

海斗はジェフリーに駆け寄ると、十六世紀の衣裳の最大の特徴である襞衿《フリルド》シャツに手を伸ばした。そして、へこんでいたり、歪《ゆが》んでいる襞《ラフ》に指先を差し込み、一つ一つ形を整えてゆく。だが、肖像画ではいかにも固そうに見える『輪っか』も、実際には糊付《のりづ》けされただけの布切れだ。触っているうちに折り目が伸びてきてしまい、海斗は焦った。

「細い棒みたいなものがあったら、もっと早く直せるんだけどな……」

その呟《つぶや》きを聞きつけて、ジェフリーが言う。

「用意しておこう。他に必要なものは？」

海斗は驚いたように顔を上げた。

「い、今のところ、それだけです」

「判った」

ジェフリーは端正な口元に笑みを閃《ひらめ》かせる。

「細かい心配りだ。おまえは服の扱い方を知っているらしい。案外、俺はいいキャビン・ボーイを雇ったのかもしれないな」

「ありがとうございます、サー」

海斗も唇の両端を上げた。感激というほどではないが、やはり誉められるのは嬉しいものだ。

そんな彼の姿を見つめていたジェフリーが、ふいに聞いた。

「おまえの国の人間は赤毛が多いのか？」

「いーえ。皆、地毛は黒いです。俺のは染めてるだけで」

「染めた？　コチニールか？」

海斗は首を振る。コチニールがどんなものか知らないが、おそらく染料の一種なのだろう。

「違います。美容室でやってもらったんで、薬の名前は判らないけど」

「美容室とは？」

「んーと、髪の毛を切ったり、綺麗に整えたりする店のことです」

「鬘屋《かつらや》みたいなものか？」

「そう、そう、鬘も扱ってますよ。もっとも、俺の国ではあまりつけませんけど。自毛の美しさを尊重する傾向があるんで」

「ふむ、ジパングの人間は、よほど身だしなみに気を遣っているのだな」

ジェフリーは海斗の前髪を指先で掬《すく》い、まじまじと見つめた。

「確かに美しい。眼にも彩《あや》な色だ。これなら、赤毛も悪くない」

その言葉が気になって、海斗は聞いた。会う人、会う人、必ず彼の頭部についてコメントせずにいられないのはなぜだろう。

「赤毛が嫌いなんですか？」

「いや、一般論だ。俺はあまり髪の色には拘らん」

「じゃあ、嫌いな人が多い理由は?」

「裏切り者の髪の色とされているからだろう。伝説では、主を敵に売り渡したイスカリオテのユダが赤毛だったと言われている。ヴァイキングの神話でも、敵に通じて天界を滅ぼしたロキが赤い髪をしていた。その昔、魔女だと告発され、火あぶりになった女達にも多かったらしい。まあ、真相はどうあれ、明らかに人と違ったものや、珍しいものを持っていると、目をつけられたり、敵視されやすいんだろうな」

明らかに人と違っている——まさに自分のことだと、海斗は不安になった。この不吉な髪のせいで、いらぬ敵意を集めてしまうのは避けたい。特に、運を天に任せて航海する船乗りは迷信深いというではないか。

「どうしよ、俺……黒髪に戻した方がいいのかな……いや、そもそも、この時代の染髪剤って、ちゃんと色が定着するのか?」

ジェフリーがぶつぶつ言っている海斗の髪を引っぱった。

「安心しろ。今はカトリックの奴ら以外、表立って悪口を言う奴はいない。我らが女王陛下も父上譲りの赤毛をお持ちだからな」

「ああ、そう……」

海斗は安堵の溜め息を洩《も》らした。ほんの数十年前まで、この国では本当に火あぶりにされた人間がいたのだ。科学的な思考は一部の学者だけのもので、未だに民衆は裏づけのない伝承や迷信の世界に生きている。ジェフリーが指摘したように、素朴な彼らにとって異質なものに対する疑惑は、それを排除してしまいたいという心に繋《つな》がりやすいのだろう。海斗は、鋤《すき》や鍬《くわ》を持った男達が怒号を上げながら自分に襲いかかる様を想像して、身を震わせた。取り越し苦労かもしれないが、やはり、用心はしておいた方がいいような気がする。

（こまめに毛先をカットして、勢いをつけないとな）

幸い、海斗は髪が伸びるのが早かった。今まではしょっちゅうカラーリングしなければならないから面倒だと思っていたが、こうなってみるとありがたいものだ。海斗は難問が解決したようなすっきりとした気分で、ジェフリーの衿に注意を戻した。

「できた！　これでカンペ……キ……」

己れの手際に満足してジェフリーを見上げた海斗は、未だに彼が自分の髪を弄《もてあそ》んでいることに気づいて、驚いた。何という迂闊《うかつ》さだろうか。考え事に熱中するあまり、彼のことを忘れていたのだ。

「あの……」

「なんだ？」

「まだ、俺の髪の毛に問題が？」

ジェフリーは端正な顔にからかうような笑みを浮かべる。

「ないよ。素晴らしい感触を愉《たの》しんでいただけだ」

スルッと髪を滑ったジェフリーの指先が、海斗の頰に落ちた。

「絹糸のような髪。そして、肌は熔解《ようかい》した黄金のように滑らかで、南洋の真珠のように温かな輝きを放っている。男であっても、ご婦人方の嫉妬《しっと》の眼差しを浴びそうだ」

海斗はあまりにもジェフリーに近づきすぎていることに気づいた。だが、慌てて離れようとした途端、ジェフリーの腕が伸びて、彼を抱きかかえてしまう。

「な、何をするんですか……っ！」

泡を食い、必死に身藻搔《みもが》く海斗を、ジェフリーはからかった。

「信じられんな。本当に十七歳か？　髭《ひげ》など生えたこともなさそうな顔をして……」

「し、失礼な！　人より薄いだけで、ちゃんと生えてます！」

「産毛の間違いじゃないのか？」

「ち・が・い・ま・すッ！」

男の沽券《こけん》を傷つけられて憤然としている海斗の背を、ジェフリーは宥《なだ》めるように叩《たた》いた。

「ああ、判った。判ったから、いい加減におとなしくしろ。綺麗に服を着せてくれた褒美《ほうび》をやろうというんだ」

近づいてくる顔にギョッとして、海斗は目を見開く。

「な、な、何ですか、褒美って？」

ジェフリーはにっこりする。

「俺のキスだ」

「遠慮します！」

海斗は咄嗟にダブレットに手をつき、ジェフリーを押し退けようとした。しかし、相手はびくともしない。当然だろう。体格も体力も、ジェフリーは遥かに海斗を凌駕《りょうが》しているのだ。

「ギャー、イラン！　イランッツーニ！　ヒトノハナシヲキケッテバ、コノヤロウ……ッ！」

「残念ながら、おまえの国の言葉は判らん。こら、暴れるなと言っているだろうが」

このままでは埒《らち》が明かない。海斗は深呼吸をし、自分に落ち着けと言い聞かせながら、必死に主張を始めた。

「離して下さい、キャプテン。俺の身体には触らないというのが、キャビン・ボーイになるときの条件だったでしょ？」

「違うな。俺はベッドの相手は務めなくてもいいと言ったんだ。だから、ベッドに入っていなければ身体をまさぐってもいいし、キスをしても構わない」

「そ、そんなの詭弁《きべん》だ！」

「念を押さなかったおまえが甘い」

「卑怯者《ひきょう》ーっ、恥を知れーっ！」

「まったく、喧《やかま》しい奴だな」

業を煮やしたジェフリーは、ふいに海斗の鼻を噛んだ。

「ひ……っ」

思いがけない攻撃に、海斗は凍りつく。痛くはないが、それ以上、歯に力を込められたらと思うと、恐くて動けなくなってしまったのだ。

「ふん、他愛のない……もう降参か？」

ぎゅっと目を閉じ、身体を強ばらせている海斗の姿を、ジェフリーは嗤《わら》う。そして、当然の権利を行使するのだというように、ゆっくりと海斗の唇を奪った。

（――――!!）

ジェフリーのキスは微《かす》かに丁字《ちょうじ》煙草《たばこ》のような味がする。彫像のように端正で、他人を揶揄するような微笑のせいで冷ややかさを感じさせる唇は、実際には火傷《やけど》しそうなほど熱い。だが、顔を紅潮させた海斗の口元も熱を帯びてきたので、じきにその感覚もぼやけてしまった。だが、その代わりに、海斗は二人の境界線が緩やかに崩壊し、触れ合った唇が溶け合って、どちらが自分のものか判らなくなってしまうような感じに襲われる。いや、『溶け合う』という言葉では生温《なまぬる》かった。じわじわとジェフリーに浸食されていくと言った方が正しい。そう思った途端、海斗の身体に戦慄《せんりつ》が走る。だが、ジェフリーの攻撃はそれだけに止まらなかった。さらに強く腰を抱き込まれた海斗は、唇をこじ開けようとする舌の感触にパニック状態に陥ってしまう。

（うわーっ！　男とキスをするだけでも冗談じゃねえってのに、この上、舌なんか入れられてたまるかよっ！）

死守だ。この清らなる口を死守しなければならない。海斗はキリキリ音が鳴るほど歯を食いしばった。

すると、僅かに顔を引いて、ジェフリーが聞いてくる。

「ジパングの人間はキスをしないのか？」

海斗は彼を睨みつけた。返事をしたら、いや、一瞬でも口を開けてしまったらおしまいだということは判っている。だが、危険がなければ、即座に反論してやりたかった。日本人だってキスはするし、自分も例外ではないが、その相手は選びたいのだ、と。

そんな海斗の心も知らないで、ジェフリーが微笑む。

「弱ったな。怒った顔も俺好みだ」

海斗は首を激しく左右に振った。弱るのは勝手だが、勝手に好きになられても困る。

ジェフリーは大きな両手で海斗の頬を包み込んだ。そして、僅かに頭を傾けると、もう一度、唇を寄せてくる。

（この……！）

人の気持ちを考慮しようとしないジェフリーの傲慢《ごうまん》な態度にキレた海斗は、精一杯、後ろに腰を引き、ジェフリーの左の脛《すね》を蹴《け》りつけた。

「オウ……ッ」

すっかり油断していたジェフリーは苦痛に顔を歪めると、痺《しび》れる左足を抱えて、ケンケンをしながら喚《わめ》いた。

「何をしやがる……！」

海斗は彼を睨みつけ、冷たく言い放った。

「それはこっちのセリフです、サー。ジパングでは、相手が同意していないのに身体に触れたり、聞くに耐えないようないやらしいことを言ったら、性的虐待《セクシャル・ハラスメント》という罪で法律によって罰されるんですからね」

ジェフリーが鼻を鳴らした。

「その法律を作った奴は朴念仁だ。この世には臍曲《へそまが》りで、言い寄られても素直になびくことができない相手がいるってことを知らないのか。そういう奴には、こっちが強気で迫ってやるのが礼儀ってものだろう」

「あなたに嫌がるフリをしている人と、本当に嫌がってる人の区別ができるんですか？」

「当然だ。最初はゴタゴタ言っていても、後で文句が出た例しがない」

何という自信家！　そして、何といけ好かない傲慢さだろう。海斗は呆《あき》れた。確かにジェフリーほどの美貌《びぼう》の持ち主を拒絶できる人間は、そう多くないのかもしれない。しかし、海斗はその数少ない人間の一人なのだ。

「だったら、俺は文句を言う最初の人間ですね」

ジェフリーの青い瞳《ひとみ》がキラリと光った。

「俺を挑発しているのか？」

「してません。俺は事実を述べているだけです」

「では、その言葉を撤回させるまでだ」

ついに海斗はキレた。

「話の通じない人だな！　金輪際、俺はあんたとキスなんてしたくない。断りもなく、勝手に身体に触られたくないんです！　だから、俺の心を変えさせようなんて無駄な努力は止めて、放っておいて下さい」

「断るだと？　ハッ！」

苦痛が薄らいだのだろう。ジェフリーはようやく足を下ろし、顔に乱れかかった豪奢《ごうしゃ》な黄金の髪を掻《か》き上げた。

「いちいち、そんな不粋な真似をしていられるか。では、互いに憎からず思っている女と同衾《どうきん》したいときは、何と言って同意を請えばいいんだ？　『失礼、マダム、あなたと交わりたいのですが、よろしいでしょうか』とでも？　馬鹿馬鹿しい！　概して女というのは気取り屋で、本音はどうあれ、慎み深い人間を演じたがる。絶対に色良い返事は寄越さないぞ。そんな野暮を口にした男を軽蔑《けいべつ》し、憎むだけだ」

海斗は一語一語を嚙み締めるように言った。

「そのたとえ話は、俺には当てはまりません。俺は女じゃないし、キャプテンに気がある訳でもないんですから。いくら相手があなたでも、自分の意志に反するようなことはできません」

「意志だと？」

ジェフリーは剣呑《けんのん》な笑みを浮かべた。

「おまえにそんなものを主張する権利があると思うのか？　乗組員は船長に絶対服従しなければならない。船上では、俺の意志が全てに優先するんだ。船長の命令は神の託宣と思え。それが海の掟《おきて》だ。逆らえば……」

海斗は唇を震わせた。

「船倉の汚水取り……でしょ」

「そうだ。ルーファスにおまえの本当の年を言ってやろうか？」

海斗は叫んだ。

「あんたには情けってもんがないのかよっ！」

ジェフリーは片方の眉を上げた。

「俺が本当に冷酷な男なら、今頃、おまえは秘書長官殿に引き渡されているか、ナイジェルの容赦ない尋問を受けているだろう」

「……っ」

「あまり、俺の我慢を試さぬことだ。情けも一方的に求められていては擦り切れる」

海斗は俯《うつむ》いた。ジェフリーに対する反感が消えた訳ではないが、彼の言葉に反論することはできなかった。それでは、あまりにも恩知らずだろう。

「許して下さい……」

長い沈黙の後で、海斗が呟いた。

「いいぞ」

ジェフリーはゆっくり歩み寄り、再び海斗の身体を抱き締めた。

「今回は見逃してやる」

それでも、キスはするらしい――海斗は絶望の思いに駆られたが、何とか心を奮い立たせ、逃げ道を探す。ここで諦めてしまったら、次は何をされるか判らない。唯々諾々とジェフリーに応じていたら、いずれ犯されるのがオチというものだ。

「じゃ、じゃあ、キスも今回だけにして下さい。俺はキリスト教徒じゃないけど、今は亡き母親から男とそんなことをしたら地獄に落ちるって教えられて育ったんです」

ジェフリーはぐるりと眼を回した。

「地獄というのは、よほど広い場所らしいな。異教徒まで受け入れなければならんとは」

「本当に怖いんです。お願いですから、この一回で終わりに……」

「嫌だと言ったら？」

「そんな……キャプテンは人の皮を被《かぶ》った獣ですか？」

するると、ジェフリーは唇の片端を上げた。

「偶然だな。今日はもう一人、俺のことを『ケダモノ』呼ばわりした奴がいたぞ。だが、おまえと違い、そいつは俺のことを気に入っているようだった」

彼は海斗の頬に唇を押しつけた。今度は蹴られないように、身体を密着させたままで。

「や……だっ！」

「ケダモノ、悪魔、鉄面皮――何とでも言え。だが、口にしたからには、俺に思いやりの心など期待するな」

激しい失望の思いに、海斗は目を閉じた。暴力に対する意識と同じで、セックスについての意識も、二十一世紀と十六世紀では大きな隔たりがあるのだ。力を持たない者は、持てる者の餌食《えじき》にされるしかない。だいたい、強姦《ごうかん》された女性が名誉を取り戻す唯一の方法は、当の強姦した男と結婚することというぐらい理不尽な時代だったことを、海斗は思い出す。

（じゃ、男の俺がレイプされたらどーなんのよ？）

傷ついた心と身体を抱えたまま、泣き寝入りするしかないのだろう。何と酷《ひど》い話だ。まだ暴行された訳ではなかったが、喉の奥から込み上げてくる嗚咽《おえつ》をこらえようとして、海斗はきつく唇を噛み締めた。それでも押さえきれない声が唇から零《こぼ》れてしまう。それが海斗の気持ちを挫《くじ》いた。地獄だ。これ以上、とても耐えられそうにない。何とか頑張ってやっていこうと自分を励ます海斗を嘲笑《あざわら》うように、難題は絶え間なく襲いかかってくる。そして、頼れるはずのジェフリーでさえも、弱みにつけ込むような真似をするのだから。

「死にたい……」

海斗は呻《うめ》いた。ギブアップしよう。そう、こんな恐ろしい世界で生きてゆくことなど、最初から不可能だったのだ。海斗は胸にのしかかる苦しみから逃れたかった。これ以上、あれこれ思い煩いたくない。ジェフリーに脅され続けるのもごめんだ。今すぐ、楽になりたかった。もう、何も考えたくないし、指先一つ、動かしたくない。張り詰めていた心がふいに弛んで、海斗はポロポロと涙を零し始める。

「い、生きてたって辛いだけだ……あのビセンテって奴に殺されてたら良かった。そうすれば、こんな目に遭わずに……」

だが、海斗はその言葉を終わらせることができなかった。

ジェフリーが海斗の頬をピシャリと叩き、吐き捨てるように言い放ったからだ。

「根性なしめ」

思いがけぬ痛みに海斗は目を見張り、ついでジェフリーを睨みつける。

「何するんだよ……っ！」

「柔らかい頬がヒリヒリするか？　だが、末期の苦しみはそんなものではないぞ」

ジェフリーは海斗の身体を冷たく突き放した。

「死にたい、死にたいと言う奴に限って、いざとなると未練を残して、醜態を曝《さら》す。どうせ、おまえも口ばかりだ」

「違う……！」

「そんなに死にたければ、俺が殺してやろうか？　せめてもの情けにひと突きでな。それとも、自分でやるか？」

ジェフリーはベルトから鞘《さや》ごと長剣を引き抜くと、海斗の前に乱暴に投げ出した。そして、柄が床に当たるガシャッという音に海斗が身を竦ませたのを見て、馬鹿にしたように笑う。

「どうした？　自殺をした者も地獄行きか？　男と寝るのと、どちらが罪が重い？」

「あ、あんたに俺の気持ちが判るもんか……っ」

追い詰められて、海斗は途方に暮れた。

「俺のこと……何にも知らないくせに！」

ジェフリーは傲然と海斗を見返した。

「ああ、判らんね。だが、知りたいと思っている。俺にキスされたぐらいで死にたくなった訳ではあるまい。殺してくれた方が良かったなどと投げ遣《や》りなことを口走る理由を、俺にも判るように説明してみろ」

海斗は顔をクシャクシャにした。全て話せるものなら、とうに話している。それができない事情があるから、悩んでいるのだ。

「そんなにタナカという男が恋しいのか？　彼を失ったことが辛いのか？」

ジェフリーが聞いた。

「そう……だよ……っ」

海斗はがっくりと床に膝《ひざ》をつくと、そのまま身を投げだすように突っ伏した。的外れの質問に、偽りの答え――この期《ご》に及んでも、嘘《うそ》をつき続けなければならないことが辛かった。最初から存在しない男のことを恋しがるフリをしなければならない自分の姿は、なんと滑稽《こっけい》なのだろう。だが、海斗は芝居を続けた。生きのびるために。死ぬことができなければ、何とか生きる算段をつけるしかないのだ。

「タナカ様は俺のことを責めない……ずっと俺の味方で、優しくしてくれた……あの人がいるから船に乗ったんだ……こ、こんな所に一人で放り出されるって判ってたら、絶対……絶対、来なかったのに……ぃ」

ジェフリーは肩を竦めた。

「零れたミルクは元に戻らないな」

「うーっ」

後の祭りだということは、自分が一番良く判っている。今さら、冷静に指摘されるまでもない。頭に来たのと悲しいので、海斗は大声を上げて泣きだした。もう、我慢できない。見栄も外聞もなかった。男らしくないと、ジェフリーに軽蔑されても構わない。海斗の弱さはすでに彼の知るところだ。

「トマソン夫人はおまえの聡明さを買っていた。俺も異存はなかったんだが、こうなってみると疑わしくなってくる」

ジェフリーが物憂げに呟いた。

「ただの冗談がとんだ大騒ぎを引き起こしたな。おまえが本当に頭が良い人間ならば、そこで何もできない赤ん坊のように泣くこともなく、さっさと俺をいなす方法を思いついただろうに」

自分の非道を棚に上げて、何という言い草だろうか。海斗は真っ赤に泣き腫《は》らした目を上げ、恨みがましげに抗議した。

「そっ……そんな余裕が……あったか……よっ」

「ああ。全ての非は物慣れない坊やをからかった俺にある。悪かった」

ジェフリーは床に転がっている長剣を拾い上げると、それを腰のベルトに吊した。そして、自分を睨んでいる海斗を振り返る。

「船乗りの掟に縛られているのは、おまえだけではない。俺も同じだ。溺《おぼ》れる人間を救った者は、その命に責任を持たなくてはならない――つまり、俺は何としてでも、スペイン人におまえを殺させる訳にはいかんという訳だ」

「お、俺が見つかったのは丘の上だけど……?」

「たとえ話だ。本当に頭の悪い奴だと思われたくなかったら、少し黙っていろ」

ジェフリーは乾いた掌《てのひら》で海斗の頬を濡らす涙を拭《ぬぐ》った。

「いや、完全なたとえ話でもないな。少なくとも、おまえの眼は溺れかけている」

あまりにも優しい感触に、また嗚咽が込み上げてくる。それをこらえながら、海斗は自分に言い聞かせた。ジェフリーを信じてはいけない。傲慢な利己主義者に心を許せば、どこまでもつけ込まれるだけだ。海斗は顔を背け、労《いた》わりの手を逃れた。

「もう……平気です」

そんな海斗の態度に、ジェフリーが溜め息をつく。

「判った。雇用条件を改めよう。身の回りの世話をしてもらう以上、完全におまえとの接触を断つということは不可能だ。しかし、ベッドはもちろん、それ以外の場所でもおまえの貞操を脅かすような真似はしないと約束しよう」

海斗はジェフリーを凝視する。

「本当に……？」

「ああ。俺もタナカ並みのお人好しになってきたらしい。それとも、譲歩せざるを得ないような状況を作り出すおまえがやり手なのか？」

ジェフリーは苦笑する。

「さて、おまえに襲いかかったケダモノは消え去った。仲直りをして、バックランド・アビィに行こう。使者殿も待ちかねているはずだ」

小さく頷く海斗に、ジェフリーが手を差し伸べる。だが、海斗はそれを黙って見返した。

「これも駄目か？　では、自分で立ちたまえ」

ジェフリーは苦笑いを深め、腰を伸ばす。

海斗はのろのろと立ち上がる。それが望みだったはずなのに、ジェフリーが手を引くと一抹の寂しさが胸を過《よ》ぎった。

(何の疑いもなく、友達にするように彼の手を取ることができたら……)

海斗は胸の内に呟いて、ジェフリーに気づかれないように微苦笑を閃かせる。無理な話だ。ジェフリーは海斗の後見人、いわば番人のようなもので、決して友人にはなれないのだから。

(友達……そう、何も言わず、何にも求めずに、俺の傍にいてくれたのは和哉だけだ)

海斗はそっと眼を閉じた。逢いたい。時を経るほどに和哉が恋しくてたまらなくなる。この想いが、自分を彼の元に引き戻してはくれまいかと、海斗は切なく願った。だが、瞼《まぶた》を上げても、やはり和哉の姿はない。代わりに海斗が見いだしたのは、ジェフリーの青い瞳だった。

(同じブルーアイズでも、色は人によって微妙に違う。中でも、彼のは綺麗だ)

海斗はぼんやりと見返す。その瞳はランズ・エンドから見た海のように晴れやかで、澄んでいた。ややもすると、崖《がけ》から下を覗いたときのように、その紺碧《こんぺき》に吸い込まれてしまいそうだ。微かな眩暈《めまい》に襲われた海斗は、それを振り切るように瞬きをする。強い男は、その眼差しにさえも人を圧倒する力があるようだ。そんなジェフリーを、海斗は羨《うらや》まずにはいられない。彼のように毅然《きぜん》として、恐れ知らずの男になりたかった。

「どうした?」

ジェフリーが聞くのに、海斗は首を振った。

「何でもない」

「では、出発しよう」

大股のジェフリーに追いつこうと足を早めながら、海斗は溜め息をついた。何と目まぐるしい一日だろうか。だが、その『たったの一日』も、まだ終わってさえいない。これからドレイクに会って、また緊張の時を過ごさなければならないのかと思うと、海斗は気が遠くなりそうだった。

7

また、具合が悪くなったのだろうか——ジェフリーは、ふいに自分の胸元に倒れかかってきた少年に驚き、彼の顔を覗《のぞ》き込んだ。

「カイト……？」

声もかけてみたが、返事はない。ただ、その表情は平穏そのもので、苦痛を感じている様子ではなかった。どうやら、馬の背中で一定の律動で揺られているうちに眠気に襲われたらしい。

「ガキめ……」

ジェフリーはカイトの身体が滑り落ちないよう、懐深く抱き寄せてやった。起きていれば、身を固くしてジェフリーの好意を拒絶するはずのカイトも、疲れきっているらしく、ぴくりともしない。

（まあ、消耗もするだろうさ。あれだけ泣いたり、喚《わめ》いたりすればな）

ジェフリーは苦笑する。苦労知らずのカイト・トーゴー。一介の使用人には分不相応なほど大事に扱われてきた少年。しかし、本当に彼のためを思うなら、主人のタナカはカイトの根性を鍛えておくべきだった。ジパングからやって来た十七歳は、イングランド生まれの十七歳に比べて幼すぎるし、繊細すぎる。まるで、物心つく前から修道院に入れられ、俗世のことなど全く知らずに育ってきたようだ。

(いや、聖人のようなカイトに比べれば、本物の僧侶《そうりょ》達の方がよほど生臭い)

例えば、母アンの聴聞僧だ。彼はアンが寝たきりなのをいいことに、幼いジェフリーを物陰に連れ込んでは、しつこく身体を撫《な》で回したものである。悪魔の眷属《けんぞく》にも等しい女どもと肉欲に耽《ふけ》るよりは、男同士で睦《むつ》み合う方が清らかだというのが、その聴聞僧の言い草だった。何とも身勝手な解釈ではないか。とはいえ、ジェフリーが、彼の訪れを楽しみにしていたのも事実だった。

(正確に言えば、彼というよりも、彼が携えてくるささやかな食物をな)

父親のマーティンが灰になってからというもの、ロックフォード家では日々の暮らしにも事欠くようになっていた。聴聞僧の『差し入れ』がなければ、飢え死にしていたかもしれない。そう、ときには取り澄ました善意より、下劣な悪徳に救われることもあるのだ。

(こいつは絶対に信じないだろうがな)

ジェフリーは腕の中の少年に視線を落として、苦笑を浮かべた。鈍感なのか、それとも胆力があるのか、よく眠れるものだと思う。もう貞操を脅かしたりしないというジェフリーの言葉を、文字通り信じているからだろう。

「俺がユーディットだったとしたら、今のおまえは愚かなホロフェルヌスだ。心を許しすぎたら、寝首をかかれるかもしれないぞ。舌はその気がなくても動くもの。偽りを口にするつもりはなくても、心が変わることもある」

特に、自分の生きている世界では——ジェフリーは呟《つぶや》きながら、思った。

憎しみをぶつけてくる者がいるとは、夢にも思わぬ無邪気さ。

困っていれば、きっと誰かが助けてくれると信じる心。

そんな子供だけに許される甘えを、カイトは当然のように持ち続けてきた。

(どれだけ周囲の人間に愛されてきたか、話を聞かなくても判る)

ジェフリーはそんなカイトが羨《うらや》ましくて、ほんの少しだけ憎かった。ふいにキスを迫ったりして困らせたくなるのも、そのせいだ。

ジェフリーはカイトを見ていると、相反する心に引き裂かれてしまいそうになる。自分の手で彼を傷つけてしまいたいという狂暴な衝動と、自分自身を含めたあらゆるものから守ってやりたいという温かな想いに。

これほど複雑に混じり合った不思議な感情を、ジェフリーは今まで味わったことがなかった。なぜ、そんな気持ちになるのかも判らない。

(謎、またもや謎だ)

幾重もの面紗《ヴェール》に覆われたカイトの本質を思うと、ジェフリーはスペイン船を追跡しているときにも似た胸騒ぎを覚える。外からは見えないからこそ、余計に気にかかるのだ。そこには何があるのだろう。どんな秘密が隠されているのだろうか。好奇心には質が悪いところがあって、禁じられていることをしてみたくなるし、隠されたものこそ暴いてみたくなる。そして、今、ジェフリーの探索の眼はジパングの少年に向けられていた。

（よく判らない奴だから、カイトは面白い。もっと、彼のことを知りたい。彼の心の中を覗いてみたい）

もちろん、ジェフリーは肉体的に彼に魅《ひ》かれていることも否定しなかった。ルーファスが指摘したように、好みはあるだろうがカイトは綺麗《きれい》な少年だ。シェアは彼の鼻が低いと言ったが、ジェフリーは全く気にならない。むしろ、口づけるときに邪魔にならなくていいではないか。実は、それがカイトにキスをしたくなる、もう一つの理由だった。

「おまえは何もかも俺の好みにピッタリ合うのに……物事はそうそう上手《うま》く運ばないものだな、おい」

カイトの身体を軽く揺さぶって、ジェフリーは囁《ささや》いた。だが、カイトは身じろぎもしない。それどころか、むにゃむにゃと口を動かして、ジェフリーの懐に頭を押しつけてきた。

「勝手な奴め」

ジェフリーは不平を鳴らした。ジェフリーが自分に触れることは断固として許さないカイトだが、自分からべったりと身体を押しつけるのは一向に構わないらしい。

だが、身を委《ゆだ》ねきったカイトの姿は、文句なく可愛らしかった。子犬や子猫のように、見ている者の胸を引き絞る魅力がある。だから、その言葉とは裏腹に、ジェフリーも笑顔を浮かべてしまうのだろう。

（タナカも『これ』にやられたらしいな。ただの足手纏《まと》いのくせに、鬱陶《うっとう》しがられるどころか、どうにも放っておけない気分にさせるとは得な性分だ）

なぜ、同じ人間だというのに、これほどの差があるのだろうか。ジェフリーが十七歳の頃には、数え切れないほどのスペイン人を血祭りに上げていた。彼は罪深い海賊だったから。私《し》掠《りょう》船乗りなどと言葉を取り繕っても、していることは少しも変わらない。異端者を自認し、信仰に背を向けているジェフリーには、憎むべきカトリックならば襲ってもいい、彼らの財産を奪ってもいいのだという大義を振りかざすことはできなかった。

人には等しく生きる権利はあっても、他人を殺《あや》める権利などない。

人殺しは、どんな理由があっても、人殺しだ。

ジェフリーはそれを知りながら、罪を犯している。それが仕事だから。男と寝ることと同様、自分の行為を正当化するつもりはなかった。

（だいたい、誰に申し開きをしろと言うんだ？　俺には救いや許しを求める相手はいない）

それでも、時折、ジェフリーは血に汚れた己れの手を見つめて、うんざりすることがあった。だが、切った張ったの人生。自分が生きのびるためには、容赦なく敵を殺さなければならない。だが、他人の命を喰《く》らってまでしがみつき続けるほど、この人生は価値のあるものなのだろうか。未だにジェフリーはその答えを出せずにいた。

（とはいえ、今さら、生き方を変えることもできないしな）

ジェフリーは海と船しか知らなかった。陸の暮らしにはどうにも馴染《なじ》めない。たぶん、良い思い出がないからだろう。長年にわたる海賊稼業で裕福になったが、金の使い道といったら服を新調することぐらいだし、娼婦《しょうふ》やシリルと遊ぶことでしか暇を潰《つぶ》せなかった。もともと活動的なジェフリーは、すぐにそんな怠惰な生活に飽き飽きしてしまい、海に戻りたくなってしまうのだ。船上で迎える毎日は何かと忙しく、変化に富んでいた。そして、ジェフリーを信頼し、心から受け入れてくれる仲間もいる。やはり、船乗り以外の仕事に就くなどということは考えられなかった。美しい海を血で染めるのは本意ではないが、そこで暮らしていくためには仕方がないことだと割り切るしかない。

（俺はそうする。だが、こいつはどうだ？）

ジェフリーはカイトの身体を抱く手に力を込めた。いくら当人の希望とはいえ、この細くて脆《もろ》い少年を、残酷な死神の横行する海に連れていくのは間違いだということは判っていた。彼は積み上がる死体に怯《おび》え、ジェフリー達の罪深さに恐れ戦《おのの》くだろう。いや、それだけならまだいいが、自分が殺されて甲板に転がる可能性もあるという事実を、カイト自身はどれだけ理解しているのだろうか。

（敵の砲弾に飛び散るか、それとも、スペイン人の剣に引き裂かれるか。いざ、戦闘になれば、俺もこいつのことばかりを構ってはいられない。結局、己れの身は己れで守るしかなくなる。そのときになって、こいつは襲いかかる敵に立ち向かっていけるのか……?）

自分の前に投げ出された長剣に息を呑《の》んでいたカイトの顔を思い出して、ジェフリーは眉《まゆ》を寄せた。まず、無理だろう。人を傷つけたことのない優しい手は、己れを守る力も持たない。カイトはなす術《すべ》もなく殺されていくだけだ。祭壇に捧《ささ》げられた小羊のように。

（女子供を見殺しにしたとあっては、俺の寝覚めが悪い。とはいえ、今さら陸に残していくと言えば、こいつが承知しないだろう。やはり、一緒に連れていって、俺があれこれ気を配ってやるしかないか……）

ジェフリーは溜《た》め息《いき》を洩《も》らす。こんな大きな子供を授かるとは、まさに降って湧いたような災難だ。結婚して家庭を営むなどということは考えたこともなく、気楽で無責任な独身男として放蕩三昧《ほうとうざんまい》を繰り返してきたツケが、今頃になって回ってきたということなのだろうか。

「まずは、自分の身を守る術を教えてやらないと……くそ、こいつに剣を持たせるなんて言ったら、またナイジェルが怒髪天を突くな」

じきに出航するというのに問題は山積みで、しかも解決は難しい。ジェフリーはもう一度、深い溜め息をついた。

「おい、起きろ」

バックランド・アビィの敷地内に入ったので、ジェフリーはカイトを揺さぶった。

びくんと大きく痙攣《けいれん》して目覚めたカイトは、慌てて周囲を見回す。

「あ……っ」

「そろそろ着くぞ」

「は、はい」

カイトは居ずまいを直すと、バツの悪そうな顔でジェフリーを振り仰いだ。

「つい、居眠りしちゃって……すいません」

「構わんよ。おかげで俺は懐が温かかった」

ジェフリーはさり気なくカイトを支えていた腕を引き、両手で手綱を取る。

夕暮れの淡い光にぼんやりと浮かび上がる高い望楼《タワー》をカイトは指差した。

「あれがお屋敷？」

「そうだ。もともとはシトー派の修道院だったのを、ヘンリー八世陛下が没収して、先代のサー・リチャード・グレンヴィルに売った」

「没収？」

ジェフリーはニヤリとする。

「海賊みたいにカトリックの財産を掠奪《りゃくだつ》したんだ。アン・ブーリン王妃との再婚を反対された腹いせと、自分が作った国教会の足場を固めるためと、不足しがちだった国庫を潤すためにな。たぶん、最大の目的は三番目だろう。娘である女王陛下もそうだが、チューダー王家は金《かね》儲《もう》けの機会を逃さない。がめついのさ」

カイトは眉を顰《しか》めた。

「王様達のこと、そんな風に言っていいんですか?」

「なぜ? 俺は非難している訳ではない。事実を述べただけだ。それは気前のいい王様の方が国民も嬉《うれ》しいが、昨今のイングランドを取り巻く状況はそれを許さない。がめつくて結構さ。金がなければ、戦争はできないからな」

カイトはますます眉を寄せた。

「戦争……スペインと……」

「そう。いつになるかは判らないが、必ず起こる。お互い、決着をつけなければならないことは判っているんだ」

「来年の……」

カイトは言いかけて、思い直したように口を閉じた。

それに気づいて、ジェフリーが促す。

「来年がどうした?」

「起こるとしたら、それぐらいかなあって思っただけです。いざ、戦争となったら色々と準備しなきゃならないでしょ？　あっという間に時間がたっちゃいそうだ」

「確かにな」

「そういえば、なんでサー・リチャードは屋敷をサー・フランシス・ドレイクに譲ったんですか？」

何となく話をかわされたような気がしたが、ジェフリーは答えてやった。

「羽振りが悪くなったからさ。世代交代ってヤツだ。サー・フランシスは世界周航の利益でプリマス一の金持ちになった。一方、当代のサー・リチャードはこの屋敷を売った金で船を仕立てて、従兄弟のサー・ウォルター・ローリーと一緒にアメリカの植民事業に乗り出したが、今までのところ、大した利益は上がっていない」

「ウォルター・ローリー……！」

カイトが感に堪えないというように呟いたので、ジェフリーは不審の思いに駆られた。

「知っているのか？」

「は、はい。スペイン人が噂《うわさ》を……」

「そいつも変わったヤツだな。自分の国の英雄よりも、敵の海賊どもの話をしたがるとは」

「た、たぶん、襲撃されるかもしれないって、気にかかっていたんですよ」

ジェフリーは目を眇《すが》めた。そう言うカイトこそ、コーンウォール生まれの海賊達のことが気になって仕方がない様子だ。

（だが、なぜだ？　それに、自分も掠奪の憂き目に遭っているというのに、敵意を抱いている様子がないのも不思議だ）

そう、ナイジェルの言うことにも一理あった。彼の稀《まれ》なる生い立ちや、イングランドへ来るまでの顚末《てんまつ》を、あっさり受け入れることは難しい。波瀾万丈《はらんばんじょう》すぎて、ナイジェルならずとも、『本当にそんなことが？』と疑いたくなるのだ。ジェフリーもカイトの話を一から十まで信じている訳ではなかった。だが、カイトの言葉を、はなから嘘《うそ》だと決めつけることもできない。ジパングという国は存在するし、そこに住む民がポルトガルと交易していることも確かだった。とすれば、彼らがイベリア半島行きの船に乗り込むこともありえるだろう。実際、ジパングの使節はエル・エスコリアル宮殿にいるフェリペ二世王を訪れているのだから。

（一度つけられた道筋を辿《たど》ることはたやすい。ジパングの人間がスペインと交流を保とうとすることに、何ら疑問はない。そして、彼らの乗った船が新教徒の船に襲われるということも、実にありがちなことだ）

ジェフリーは内心、溜め息をつく。問題はこの少年の言葉を偽りと判じることができる確証を、誰も持っていないということだった。そもそも、本当にカイトはジパングの人間かということすら判らない。これまでイングランド人は東の果てに住むという民族の話は耳にしても、その姿を見たことがなかったし、彼らの国に関する知識も持っていなかった。

(スペイン人に聞く訳にもいかんしな)

そう、カイトを信じるにしても、疑うにしても、その拠《よ》り所となるのは本人の言動しかない。だから、今のところ、ジェフリーも、ナイジェルも、じっと彼を見守っているしかなかった。カイトが妙なことをしでかせば、ナイジェルの言うように憎むべきスペインの手先ということになろうし、何もしなければ単なる不運なジパング人だ。

(俺としては、後者であって欲しいね。つい情をほだされる羽目になった涙までもが、芝居だとは思いたくないものだ)

ジェフリーはそっと苦笑する。ナイジェルが自分に甘いように、自分はカイトに甘すぎるようだと思いながら。

「ようこそ、おいで下さいました」

馬を下りたジェフリー達を迎えたのは、ドレイク家の執事《スチュワード》を務めるパーキンスだ。眉に白いものが混じるほどの年だが、その背筋は棒でも入っているのではないかと思わせるほどピンとしている。ジェフリーと挨拶《あいさつ》を交わした彼は、馬に寄り添うように立っているカイトを見た。

「そちらのお子様は?」

「新しく雇ったキャビン・ボーイだ」

「さようでございますか。では、マントをお預かりしましたら、客間の方にご案内致します」

なぜ、キャビン・ボーイなどを連れてきたのか、パーキンスが聞くことはなかった。いや、彼も関心はあるのかもしれないが、職業意識からそれを口にすることはできなかったと言った方が正しいだろう。

「凄《す》っげえ……」

館の中に足を踏み入れたカイトは、感嘆の溜め息をつきどおしだった。

ジェフリーも彼の気持ちは判る。

フランシス・ドレイクは成功の証であるバックランド・アビィを磨《みが》き上げ、飾り立てていた。艶《つや》やかに光り、塵《ちり》一つ落ちていない清潔な石の床。長い廊下の壁に取りつけられた蠟燭《ろうそく》立ては全て銀製。角のコンソール・テーブルには深紅色をしたヴェネツィアガラスの酒杯や、ポルトガルの船から分捕ったカタイの壺《つぼ》などが飾られている。

客間に飾られたタピストリーがまた素晴らしい。それは主人と共に世界中の海を駆け巡った、『黄金の雌鹿号《ゴールデン・ハインド》』の威容を余すところなく描きだしたものだ。ふんだんに織り込まれた金糸と銀糸が、部屋のあちこちに置かれている蠟燭の柔らかな光、大きな暖炉で燃え上がる炎に照らしだされて煌《きら》めいている。

「おお、ジェフリー、待っていたぞ」

イングランドが誇る英雄は、そのタピストリーの前に立っていた。後退しはじめた褐色の巻き毛に縁取られた滑らかな額。肉厚の二重瞼《ふたえまぶた》の下ではくすんだ青い瞳《ひとみ》が強い光を放っている。

鼻梁《びりょう》の左側に疣《いぼ》があり、苛立《いらだ》ってくるとそれを触るのが癖だった。口髭《くちひげ》と頬髯《ほおひげ》に埋もれた唇が緩むことは少ないが、笑うとなったら豪快に声を上げて笑う。勲爵士《ナイト》の称号を持ち、プリマス市長、イングランド海軍の造船監督官、そして下院議員を兼任の上、再婚したばかりの若い妻エリザベスとの生活を楽しむ多忙な四十四歳の男――それがサー・フランシス・ドレイクだ。

「出航の準備は進んでいるか？」

「ナイジェルのおかげで順調です」

ジェフリーは明るい笑みを浮かべた。二人の間では鯱《しゃっちょこ》ばった挨拶は不要だ。

「有能で忠実なグラハム……まだ、彼を譲る気にはならないか？」

「お許し下さい。あいつが俺の船を下りるときは、閣下の航海長になるためではなく、独立してキャプテンを名乗るときでしょう」

ドレイクは肩を竦《すく》めた。

「進んで下りるかね。今までだって、自船を持てる機会はいくらでもあった。それでも、君の傍を離れようとしなかったではないか。恩義を忘れぬ見上げた男だ」

「さっさと忘れてもらいたいんですがね。俺の方こそ、あいつにはどれだけ助けられているか判らない」

「互いに庇《かば》い合う――何と美しい友情だ」

　ジェフリーが片方の眉を上げる。

「それをご存知の上で、我々を引き離そうとしているんですか？」

「なに、配下の人間関係を確かめているだけだ。船の上では仲間との連帯感が重要だからな」

「連帯感……政争が繰り広げられる宮廷では望むべくもないものですね」

　ドレイクは微《かす》かに苦笑を浮かべた。

「その通り。友愛の仮面の下に隠されているのは、嫉妬《しっと》に青ざめた顔ばかり。ああ、認めよう。この私も例外ではない。権力は甘い毒だ。指先を浸しただけで全身に広がる。それは命を奪う代わりに心を侵し、ついにはそれ以外のことを考えないようにしてしまうのだ」

　ジェフリーはもっともらしく頷《うなず》いた。

「お気の毒に……では、今日のウォルシンガム閣下の失点についての話などは、何をおいてもお聞きになりたいでしょうね」

「もちろんだ。私も君の耳に入れておきたいことがある。だが、その前に教えてくれ。あの扉の前にいる少年は何者だ？」

　ジェフリーはカイトを振り返る。カイトはまだ客間の入口に立ち竦んだままだった。大きな目をさらに見開いて、頬を紅潮させている。どうやら、生きながらにして伝説となった船長に会って興奮しているらしい。

「ご紹介しましょう。名はカイト・トーゴー。ユグノーの海賊に攫《さら》われ、危うくこのイングランドで売り払われようとしていた少年です。本人の言葉によれば、ジパングの出身とか」

「なに……っ」

ドレイクは大きく身を乗り出した。生きながら伝説となった男も、同じく伝説の『黄金の国』の話には無関心ではいられないのだ。

「それは、まことか？　いや、ジェフリーではない。おまえに聞いている」

鋭い瞳に見据えられて、カイトは恐る恐る頷いた。

「そ、そうです」

「詳しい話を聞かせてくれ。ああ、そんなところにいないで、もっと近くに来い」

急に心細くなったようで、カイトは縋《すが》るようにジェフリーを見た。

「お言葉に従え。俺も隣にいるから」

ジェフリーに促され、カイトはタピストリーの前にいるドレイクに歩み寄った。気の毒になるほど緊張していて、足が震えているのがジェフリーの眼に映る。

「俯《うつむ》いていては顔がよく見えないぞ。ちゃんと正面を向け」

ドレイクが命じたので、カイトは何とか首を上げた。そして、思いがけぬことを口走ったのである。

「小さい……」

「何だと？」

ドレイクが眉を吊《つ》り上げる。

ジェフリーはあっけにとられて、赤毛の少年を見つめた。

我に返ったカイトが身体の前で両手を振る。

「な、な、なんでもありません」

「ごまかすな。何が小さいのだ？」

カイトはごくりと唾《つば》を飲み込むと、絶え入るような声で言った。

「その……身長が……想像していたより……ひ……低いっていうか……」

ドレイクがジェフリーを振り返る。

「驚いたな。面と向かって、私の背について口にする勇気がある者がいたとは」

「閣下、子供の言うことですから」

ジェフリーは笑いをこらえながら返事をする。

カイトは青ざめ、平身低頭した。

「すっ、すみません！　すみませんっ！　つ、つい……」

「本音が出たか？」

ドレイクが雑《ま》ぜ返す。

「は……じゃなくって、いいえっ！」

「実際の私は、おまえを失望させたかね？」

「そ、そんな……！」

彼の慌てぶりがおかしくて、ドレイクとジェフリーは爆笑した。

どうしたらいいのか判らなくなって、カイトは泣きそうになっている。

「ご寛恕《かんじょ》下さい。彼の不作法は、私が謝罪します」

ジェフリーの言葉に、ドレイクは首を振った。

「構わん。坊主もそんなに恐縮する必要はないぞ。スペイン人は自分達に都合のいい噂ばかりを広めるのだ。子供の肉を喰らうとか、悪魔と取引きをして、全てを見通す魔法の鏡を持っているとかな。だから、身の丈以上の評判に悩まされるのは慣れっこだ」

「あ、ありがとうございます」

カイトは見るからにホッとした様子を見せた。

ドレイクはまだ笑みを残したまま言う。

「また、おまえから譲ってもらいたい者が出てきたぞ、ジェフリー。正直で率直なキャビン・ボーイ。この坊主を傍に置いておけば、愚かな自惚《うぬぼ》れに陥るのを防げそうだ。どうだ、私の船に来ないか？」

顔を覗き込まれたカイトは、再び頬を紅潮させた。

「こ、光栄ですけど、俺もキャプテンに恩義があるので……」

「またか！　今度はどんな経緯だ？」

そこで、カイトはここに来るまでの出来事を話し始めた。ビセンテとの邂逅《かいこう》と荒々しい別離の様子も付け加えて。

「……という訳で、俺はグローリア号のキャビン・ボーイにしてもらったんです」

全てを聞き終えたドレイクが溜め息をついた。

「ビセンテ・デ・サンティリャーナか。あやつを取り逃がしたとあっては、ウォルシンガム殿も腹の虫が納まるまい。私もほくそ笑む気にはなれんな」

「閣下もご存知でしたか」

ジェフリーの言葉に、ドレイクが頷く。

「ウォルシンガム殿から直接問い合わせを受けたことがある」

「なぜです？」

「サンティリャーナは海軍将校なのだ。それで彼の評判を耳にしたことがあるかと尋ねられた。あいにく、そのときは知らなかったので、役には立てなかったが」

「そうですか」

「気になって、私も後で調べてみたら、アロンソ・デ・ルイスの航海長を務めている男だった。つまり、手強い相手ということだ。デ・ルイスのことは知っている。敵ながらあっぱれな船長でな。だから、間近で彼の薫陶を受けているサンティリャーナが凡庸であるはずがない」

「今回もすんでのところで逃げ果《おお》せましたしね」

ジェフリーは拳を握り締める。これではっきりした。やはり、ビセンテはイングランド海軍を偵察するためにプリマスを訪れたのだ。

「どんな男だった？」

ドレイクがカイトに聞く。

「と、とにかく、凄《すご》いハンサムでした」

「ジェフリーのような？」

「同じぐらい……でも、ちょっとタイプが違うかな。ビセンテの方が威厳があるような……」

ジェフリーは鼻を鳴らした。

「なるほど、率直な論評だ。どうせ、俺は軽薄だよ」

カイトが目を見開く。

「そんなこと言ってないじゃないですか！　彼は黒い服を着ているせいもあって、落ち着いた印象が……」

「聞き捨てならんな。俺の服にまでケチをつけるつもりか？」

「だから、いつ、そんなこと言いました？」

ドレイクが間に割って入った。

「止めたまえ。年下の友人ができたからといって、君まで一気に若返る必要はないんだぞ、ジェフリー。カイト、話の続きを」

「はい」

カイトは『ざまあみろ』というような眼をジェフリーに向ける。かちんと来たジェフリーは心密《ひそ》かに復讐《ふくしゅう》を誓った。ルーファスがシリルに噛《か》みつきたくなる気分が、ようやく判ったような気がする。

「髪は黒くて、短くカットしてます。眼はエメラルドのような緑色……光が当たっても茶色っぽくならない本物の緑でした。声は深みがあって、訛《なま》りのない英語を話していたと思います」

ドレイクが聞く。

「どんなことを言っていた？」

「彼はあんまり喋《しゃべ》りませんでした。俺の話を聞くばかりで……」

「そして、いきなり襲いかかってきたのか？」

「はい」

「奇妙だな」

「え？」

カイトの顔に不安そうな表情が過《よ》ぎるのを、ジェフリーは見た。

「彼はおまえがジパングの人間だということを知っていたのだろう？　そして、おまえの国とスペインは友好関係にある。イングランドがネーデルラントの新教徒を援助しているように、サンティリャーナもおまえを連れていくこともできたはずだ。それなのに、奴は冷酷にもおまえを殺そうとしたという。それはなぜなのか……」

「お、俺が足手纏いだったんじゃないですか？」

「だったら、殴打するだけではなく、剣で止めを刺しておくべきだった。生きていれば、こうして情報が洩れる。やはり、殺意があったとは思えん。それに奴はデ・ルイスの部下だ。軍人の名誉を重んじるあの船長が、武器も持たない子供を殺すような男を自分の船に乗せておくはずがない」

ジェフリーは感心する。それはデ・ルイスという人間を知っているドレイクだからこそ指摘できる疑問点だった。

「で、でも、俺っ……本当に襲われたんです！」

ドレイクにじっと見つめられたカイトは、さらに動揺した。

「それは信じる。傷もあることだしな。だが、おまえはサンティリャーナがそれをつけた理由を、まだ話していないのだろう？」

「いいえ、俺は……」

「奴を狼狽《ろうばい》させることをしたか、言ったのではないか？　だから、あいつはおまえを傷つけた。故意ではなく、つい、手が滑ったのだ。丘の上から突き落とされたというのも眉唾だな。揉《も》み合っているうちに転げ落ちたというのが、本当のところではないのか？」

畳みかけられたカイトが蒼白《そうはく》になる。

ドレイクの厚みのある瞼がぴくりと動いた。

「さあ、聞かせてもらおう。ウォルシンガムを虚仮《こけ》にするような男から、どうやって冷静さを奪ったのだ？」

カイトは答えることができない。唇を震わせるだけだった。

さほど待たずに復讐の機会がやってきた。沈黙を守ってきたジェフリーは、ここで揺さぶりをかけてみることにする。

「正直に言え。拷問はウォルシンガム閣下の専売特許ではないぞ」

「……っ」

カイトが息を呑み、怯えたような眼でジェフリーを見た。

「そうだ。俺が口を割らせてやる。二度と俺に嘘をつこうなどと思わないようにな」

ジェフリーは素早く手を伸ばし、カイトの腕を掴《つか》んだ。

「閣下、地下室をお借りしますよ。あそこなら耳障りな声も洩れないでしょう」

カイトは必死に足を踏ん張り、縋るようにドレイクを見つめた。

「い、嫌だ……許して！」

ジェフリーの目配せで、彼の意図に気づいたドレイクは、冷ややかに顎《あご》をしゃくった。

「連れていけ」

「待って……っ！」

ガクガクと震えながら、カイトはジェフリーの腕にしがみついた。恐怖のあまり、水を被《かぶ》ったように大量の冷汗をかいている。

「ここで本当のことを言うか……」

ジェフリーはカイトの顎を掬《すく》い上げると、猫撫で声で聞いた。

「それとも、下で身体に聞かれるかだ。まだ言っていなかったが、実は俺もルーファスと同じぐらい鞭打《むちう》ちが上手い。おまえの背中に蚯蚓腫《みみずば》れで縞模様《しまもよう》を描いてやろうか？　それとも格子柄がいいか？」

「つ……連れていかないで……拷問なんて……我慢できない……」

もちろん、それは承知の上だ。ジェフリーはカイトの黒真珠のような瞳を見つめた。今度こそ、真実を見極めるために。

「だったら、閣下の質問に答えろ」

抵抗、逡巡《しゅんじゅん》、そして、最後に諦念《ていねん》の色が浮かんで、カイトは折れた。

「嘘をつくつもりはありませんでした。ただ、信じてもらえないと思って、言わなかったことがあります」

「何だ？」

「俺はタナカ様……元の主人のことですけど、彼の従僕じゃありません。代々、彼の家に仕える占い師なんです」

ドレイクとジェフリーは顔を見合わせた。どちらも『やれやれ』という表情を浮かべて。

「つまり、ジパングのジョン・ディーという訳か？」

ドレイクは馬鹿にしていることを隠しもせずに、カイトに聞いた。

「おまえが本当に占い師だったとして、タナカは航海に出る前に、その前途を占わせなかったのか？」

「はい。俺も一緒に行くので……どうしてかは判りませんけど、自分が関係していることは見えにくいんです」

「見えないだと？　神秘なる宇宙には全ての者の運命が描かれているはずではないのか？」

「俺は星占いをする訳ではないので……」

「では、どうやって？」

「鏡です。占いたいことを心に念じて見るんです」

「悪魔の鏡だな！」

ドレイクはサッと天を仰いだ。

「どう思う、ジェフリー？　こいつは私を愚弄《ぐろう》しているのではないか？」

「そのようですね。やはり、地下室にブチ込んだ方が……」

カイトは食い下がった。

「本当なんです。鏡がなければ、剣でもいい。その二つは聖なるもの——ジパングの王も宝にしているほどです。俺が使っていた鏡は海の底に沈んでしまったので、ビセンテのときも剣で占いました。彼も信じてくれなかったので……」

「ほう、奴は何を聞いた？　無事に逃げられるかどうか、か？」

「イングランドとスペインが、いつ戦争に突入するかです」

ジェフリーはハッとした。先程、カイトとその話をしたとき、彼がふと『来年……』と呟いたことを思い出したのだ。

（あれは占いの結果で……つい、口に出してしまったのか？）

もし、そうなら、すぐに話題を変えようとしたことも理解できる。本当の『職業』を明かしていない以上、「なぜ、そんなことが判る？」と聞かれたら、カイトは答えることができないからだ。

「ふむ、そいつは私も興味があるぞ」

微かな戸惑いを感じ始めたジェフリーとは裏腹に、ドレイクは相変わらず、少しもカイトの話を信じていない様子だった。

「で、いつだ？　奴らがやってくるのは？」

カイトは大きく喉《のど》を上下させて唾を飲み込んだ。

「ら、来年……新しい指導者と共に」

ふいにドレイクの瞳がギラッと輝いた。

「新しい……だと?」

「そうです。彼の姿が見えたとき、その言葉が頭に浮かびました。それと……」

「何だ? 途中で言葉を切るのは、おまえの悪い癖だ。早く続きを言え」

「す、すみません。それと、朽ちかけた十字架が見えました。そのことをビセンテに言ったら、急に彼が怒りだして、摑みかかってきたんです。そんなことが起こるはずがない、って」

ドレイクがぽつりと言った。

「サンティリャーナは信じたくないだろうな。だが、それは起こりうることだ」

ジェフリーは訳の判らないことを口にしはじめたドレイクに、素早く視線を走らせた。

「閣下?」

「何ということだ。こいつは本物かもしれんぞ」

ドレイクの変心に、ジェフリーはびっくりした。

「どういうことです?」

「君の耳に入れたかったことを、すでにこの子は知っているらしい」

半ば呆然《ぼうぜん》とした表情で、ドレイクは言った。

「実は、先程ウォルシンガムとは別口で、私がスペインに送り込んでいる間諜《かんちょう》から手紙が届いたのだ。我々にとっては朗報と言える」

「何でしょう?」

　ようやく、ドレイクがジェフリーに注意を戻す。

「敵は固く箝口令《かんこうれい》を敷いているが、まず間違いはないだろう。サンタ・クルズ侯爵、ドン・アルバロ・デ・バサンがふいの病に倒れたらしい」

「まさか……！」

「彼も老齢だからな。朽ちかけた聖十字架……つまり、カイトが見たのはサンタ・クルズの姿だったということになる」

　スッと寒気が背筋を走り抜けていった。ジェフリーは居心地悪そうに立ち竦んでいるカイトを凝視する。確かに、これはイングランド人にとっては朗報だ。最高司令官が病床に伏せっているると知れば、スペイン海軍の士気は下がりまくるだろう。いつ開戦してもおかしくないような状況で、最も経験豊かなサンタ・クルズ侯が戦列から離れるのは大打撃だった。

（そして、このまま侯爵が死ねば、次の戦いのときには、必然的に新しい司令官が無敵艦隊を率いることになる。カイトの予言通りに……）

　いや――ジェフリーは首を振った。今度は、そう簡単に信じる訳にはいかない。

「ただの偶然かもしれません。開戦の時期などは適当に言えばいいし、侯爵の病気についてはたまたま時期が一致しただけでしょう。占いなど、後からどうとでも解釈できます。そんなに簡単に信じて良いものでしょうか」

「うむ……」

ドレイクも考え込む顔になる。しばらくして、彼は言った。

「だったら、もう一度、ここで占わせてみたらどうだろう？　カイトに我らの疑惑を晴らす機会を与えてやるのだ」

「そうですね」

ジェフリーは頷く。こうなっては、カイト自身に白黒つけさせるしかない。ジェフリーは少年を見つめた。

「証明してみせろ、カイト。おまえの能力を。俺の剣を貸してやる」

ジェフリーはすらりと長剣を抜き、柄をカイトの方に向けた。

「な……何を占えばいいんですか？」

カイトは震える手で剣を受け取った。

ドレイクがジェフリーに聞く。

「彼に今度の航海について話したか？」

「いいえ。カイトに限らず、他の船員達にも詳しいことは何も伝えておりません」

「では、それにしよう」

ドレイクは赤毛の少年を振り返った。

「グローリア号の目的地はどこだ？」

カイトは困ったような顔になる。

「俺もその船に乗ることになっているので、占えません」

「では、私の『エリザベス・ボナヴェンチャー号』は？　行き先は一緒だが、おまえは乗らないのだから、幻影を遮《さえぎ》るものはないはずだ」

カイトが頷く。どこかホッとして、自信を取り戻したようだった。

「判りました。エリザベス・ボナヴェンチャーですね。やってみます」

彼は両手で剣を捧げ持つと、低く呪文《じゅもん》のようなものを唱えだした。

「エート……えりざべす・ぼなゔぇんちゃーゴウノ、イキサキヲオシエテクダサイ……ッＴ。コンナモンデイイカナ……ヤ……モウチョット、ジカンヲカケトクベキカ……ンー、ドウカ、ドウカ、ゴマカサレテクレマスヨウニ。イタイメニアウノハゴメンデス」

ジパングの言葉だろう。英語に比べて、あまり抑揚がなかった。だが、耳障りな響きではないと、ジェフリーは思った。

「……見えました」

ふいに、カイトが顔を上げた。何かに惹《ひ》かれるように客間を見渡した彼は、剣を持ったまま、暖炉の脇に置かれた地球儀にふらふらと歩み寄る。

ジェフリーとドレイクは、その後を追った。

「南……大きな半島の先にある港です」

地球儀に手を置いたカイトは、それをゆっくりと回転させた。

ドレイクが聞く。

「そこに何があるのだ?」

「船……グローリア号よりも大きな船がいっぱい……スペインの旗が翻っていました」

カイトの手が止まった。

「なぜなら、そこはスペインの港だからです」

彼は地球儀の一点を指差した。

「目的地はここだと思います」

ジェフリーが手元を覗き込んで、地名を告げた。

「カディス」

彼は顔を上げ、カイトの瞳を見つめた。

「残念だったな。俺達が行くのはリスボンだ」

だが、カイトは首を振った。

「そこへも行きますけど、成果を上げるのはカディスです」

そのとき、ドレイクが呻《うめ》くように言った。

「信じられん。いや、この耳で聞いたのだから、信じるより他はないのだが……」

ジェフリーは皮肉っぽく言った。

「占いなんて、このようなものです。当たるのは百回に一度ぐらいのもの」

「違う！」

ドレイクの顔に興奮の色が浮かんだ。

「まだ君にも言っていなかったが、カディスも攻撃目標の一つに定めているのだ。近いうちに西インド帰りの船が集まるらしいという情報があってな」

「な……っ！」

ジェフリーは愕然《がくぜん》とした。

（で、では、カイトはサー・フランシスの胸だけに収められていたことを、見通したということか？）

ゾーッと先程よりも強い悪寒がジェフリーに襲いかかった。何という能力――何と、恐ろしい才能だ。カイトが鏡や剣を眺め、呪文を唱えるとき、どんな秘密も秘密でなくなってしまう。それは単なる占いというよりも、魔法に近い力なのではないかと、ジェフリーは思った。ジョン・ディーも、ノストラダムスも、カイトの予言の確かさには舌を巻くに違いない。最初の動揺が次第に薄れてくると、ジェフリーの青い眼には彼の能力の素晴らしい一面が見え始めてきた。

（そう、カイトに敵のことを占わせるんだ。どこを攻撃してくるつもりなのか。規模はどれぐらいか。あらかじめ、それを知ることができれば、我々も対策を立てやすい。戦況を決定するのは情報だ。相手のことを良く知っている方が勝つ。カイトはその手助けをしてくれるだろ

う）

ジェフリーはユグノーの海賊達に感謝したくなった。彼らがカイトを攫い、イングランドに連れてきてくれたおかげで、素晴らしい恩恵を得られそうだ。もちろん、ビセンテ・デ・サンティリャーナにも礼を言わなければなるまい。このかけがえのない宝を、ホーの丘に放り出していってくれたのだから。

（たぶん、サンティリャーナは本能的にカイトの力を嫌悪したのだろうな。スペイン人は自分の間尺に合わないものを、決して受け入れない。頭の固い奴らなんだ）

とにかく、彼が乱暴を働いてくれたおかげで、カイトの心がイングランド寄りになったのは幸いだったと、ジェフリーは思った。それにはカイトがキリスト教徒ではなかったことも影響しているだろう。何世紀にも及ぶ宗教戦争を見れば判るように、無理矢理、宗旨替えをさせることほど難しいことはない。カイトの場合、その手間がないぶん、都合が良かった。

（敬虔《けいけん》なカトリックだったというタナカは、今頃、海の下で悔しがっているかもしれないな。なぜ、カイトを帰依させておかなかったんだろう、と）

ジェフリーはふと思いつく。もしかしたら、タナカは自分の年若い占い師を、スペイン人達に紹介するつもりだったのではないだろうか。『貴顕の前で披露する、ちょっとした余興』というヤツだ。カイトほどの能力があれば、すぐに大評判になる。きっと、誰もが彼の話を聞きたがるようになるだろう。すると、カイトの主人であるタナカも、会いたいと思っていた人物に会いやすくなるという寸法だ。

（もしかしたら、フェリペ王も接見したかもしれない。そして、彼がカイトの真価に気づいたら、我がイングランドが危機に曝《さら》されていただろう）

カイトの力は両刃の剣だ。今、彼が携えているジェフリーの長剣のように。味方であれば、これほど力強い存在もない。だが、敵だったら、地獄を味わわされること間違いなしだった。

（だから、手放すことはできない。カイトは誰にも渡さない……！）

ジェフリーは微笑《ほほえ》んだ。この事実を知ったら、ナイジェルもカイトを受け入れ、『スペインの手先』呼ばわりすることもなくなるだろう。

「噂が本当になりましたね」

ジェフリーはドレイクに言った。

「閣下は『全てを見通す鏡』を手に入れた」

ドレイクが嬉しそうに頷く。

「そうだ。だが、それを与えてくれたのは悪魔ではない。天におわす神だ。主がイングランドを祝福して、カイトを送り込んでくれたのだ。正義が我々にあることを示すために」

それはどうだろうと思ったが、ジェフリーも一応頷いておく。

ドレイクはカイトに歩み寄ると、彼を抱き締めようとした。

「おまえは我々の天使だ。たとえ、異教徒でもな」

「ちょっと、待った！　危ないですよ」

剣を持ったままのカイトは慌てていた。そんな彼を見て、またジェフリーは口元を緩める。ドレイクの身を案じるとは、カイトのイングランド人に対する好意も本物だ。

「俺の剣を返せ。ちゃんとした使い方を身につけるまでは、鏡を持たせておいた方がいいな」

鞘《さや》に愛用の剣を戻して、ジェフリーは聞いた。

「その鏡だが、どんなものでもいいのか？」

「はい」

ドレイクが申し出た。

「妻がいくつか持っている。携帯しやすいものを進呈しよう」

彼はカイトの両肩を摑み、親愛の情を込めて揺さぶった。

「暮らし向きのことも心配しなくていいぞ。これからは、私がタナカの代わりだ。私には子供がいないから、おまえのことを息子だと思うことにする。そうだ！　しばらく、ここに滞在するといい。ジェフリーのキャビンなどより、ずっと居心地がいいぞ」

「お言葉ですね」

ジェフリーが苦笑しながら言った。

「確かに、こちらのお屋敷は素晴らしいし、カイトもその方が嬉しいでしょう。しかし、私は反対です」

ドレイクが眉を顰める。

「なぜだね？」

「ウォルシンガム閣下がカイトに目をつけるかもしれないからです。彼がカイトを召還しようと思ったら、誰も止めることはできません。もちろん、ドレイク閣下であっても。陸の上ではあちらに分があるのは明らかです」

「うーむ」

負けず嫌いのドレイクが不機嫌そうに唸《うな》った。だが、彼もジェフリーの言葉に一理あることは認めているはずだ。

「カイトの能力を知ったら、ウォルシンガム閣下は彼をどこかにしまいこんで、二度と返してくれないでしょう。そんなことは冗談じゃありません。本当にカイトの能力を必要としているのは、実際に身体を張って戦う我々であって、あの方ではない」

「その通りだ」

「では、カイトをウォルシンガム閣下に奪われないようにするには、どうしたらいいか？　あの方の手の届かない場所に連れていけばいいのです。すなわち……」

「海の上――おまえの船だな」

「そうです。なにせ、航海は風任せ、波任せです。連絡を取るのも容易ではない。それと一番重要なことですが、カイト自身がロンドン行きを望んでおりません」

「そうなのか?」

ドレイクの問いに、カイトはこくりと頷いた。

「だったら、ジェフリーの忠告に従うのが、一番いいだろう。だが、この子に不自由はさせるな。もし、うっかり病気などで死なせでもしたら、そのときは私がおまえを殺してやる」

「判っておりますよ。この命にかえて、守ります」

ジェフリーは本気で言った。ドレイクの言葉も冗談ではない。小さなイングランドが、世界に冠たるスペインと戦うのは並大抵のことではない。カイトの不思議な能力は、ジェフリーの祖国の救いとなるだろう。

「カイト、鏡を持ってこさせるから、もう一つだけ、教えてくれないか」

ふいに、ドレイクが切り出した。

「本当のところ、我が国の海軍とスペインの無敵艦隊がぶつかったら、どうなる?」

カイトは肩を竦めた。

「それなら、鏡を見るまでもありません」

「なぜだ?」

「ビセンテに聞かれて、すでに調べてあるからです」

ジェフリーは身を乗り出し、興奮に掠れる声で促した。

「どちらだ、カイト? どちらが勝つ?」

「判りませんか、サー？」

赤毛の少年はにっこりする。

「ビセンテは答えを聞いた途端、俺の首を絞めましたよ」

その瞬間、ジェフリーはカイトのことを好きになった。

8

スパイスに漬け込まれた羊肉を炙《あぶ》ったものとパン、それにワイン付きの食事を供された海斗《かいと》は、ドレイクと航海について詳しい打ち合わせを続けるというジェフリーと別れ、先に休ませてもらうことにした。

部屋に案内してくれたのは、例のいかめしい老人パーキンスだ。主人からジェフリーとは別に一室を用意しろと言われた彼は、海斗の頭の天辺から足の先までを見下ろした。

「どちらにご案内致しましょうか？」

すでに人に値踏みされることには慣れっこの海斗は、相手の意を迎えるようにニッコリしてみせた。

「ジェフリーの隣がいい。カイトは外国生まれゆえ、こちらの暮らしに慣れておらん。不自由がないよう、気を配ってやってくれ」

「かしこまりました」

一瞬、パーキンスは憮然《ぶぜん》とした表情を浮かべたが、ドレイクの命令は絶対らしく、穏やかに海斗に向き直った。

「では、こちらに……」

たかがキャビン・ボーイ風情には過ぎた扱いだ――パーキンスはそう思っているに違いない。現在も英国は厳然たる階級社会だが、十六世紀における身分の格差は、それとは比べものにならないほど大きいものだった。当時の常識から考えたら、半人前の水夫である海斗を、騎士の執事であるパーキンスが客として扱うことなどありえないし、そうしなければならないことに屈辱すら感じるだろう。彼の心を慮《おもんぱか》ると、海斗は気が重かった。

「おやすみなさい、カイト。良い夢を」

食事の間中、海斗を質問責めにしたドレイク夫人、エリザベスが優しい言葉で送り出してくれる。年上の夫の愛を一身に受け、どんな贅沢《ぜいたく》も許されている彼女は、身につけている豪奢《ごうしゃ》な絹のドレスのごとく、輝くばかりに美しかった。

「ありがとうございます。おやすみなさい」

挨拶《あいさつ》を返して、廊下に出た海斗は、近くの部屋から持ってきたらしい燭台《しょくだい》に火をつけているパーキンスに話しかける。

「レディ・エリザベスは綺麗《きれい》な方ですね」

燭台を手に、さっさと歩きだしていたパーキンスが、振り返りもせずに言った。

「レディ・ドレイクだ。我が国ではナイトの称号を持つ方の奥方は、レディの後に姓をつけてお呼びすることになっている」

「旦那はサー・フランシスなのに？」

「現在のナイト位は平凡な身分に生まれた方が、国家に貢献した功績によって得るもの。奥方は生まれながらの血統ではなく、伴侶《はんりょ》の力で栄達するのだから、夫の家名で呼ばれるのが相応《ふさわ》しいということではないかね。もっとも、レディ・ドレイクは貴族のご出身だから、お血筋も素晴らしいが」

「なるほど……」

海斗は内心、溜《た》め息《いき》をつく。かくも、階級とは複雑なものだ。それに比べたら、船上の序列は単純なので、ありがたい。

（船長、航海長、水夫長、あとは『その他』だもんな）

もちろん、新入りということで軽く見られてはいるのだろうが、今のところ、一番親しく口をきいたことがある帆職人のマーシーも、海斗を侮蔑《ぶべつ》するような態度は取っていない。仲間として受け入れてくれているのだ。そんな大らかなマーシーに、海斗は感謝していた。もし、彼がパーキンスのように冷ややかな男だったら、陰鬱《いんうつ》な気持ちで船上生活を始めなければならなかっただろう。

「ここだ」

長い廊下を渡り、ゆっくり階段を上った二人は、ある部屋の前で足を止めた。

「ロックフォード船長は右隣においでになる」

扉を潜ったパーキンスは壁ぎわに置かれたテーブルに燭台を載せると、後に続く海斗に聞く。

「真正面にあるのがベッドだ。何か判らないことは？」

海斗はさっきから気がかりだったことを質問する。

「あのー、用を足したいときは、どこですればいいんですか？」

「そこのチェンバー・ポットを使うように」

パーキンスが顎《あご》をしゃくった方向を見ると、おそらくは鉛製の『おまる』が置いてあった。

海斗は気分が重くなる。そう、水洗トイレなど望むべくもないことだ。

「あと、顔を洗う場所は？」

パーキンスが眉《まゆ》を寄せる。

「顔？　別段、汚れていないようだが……」

「俺の国では、朝晩、必ず洗うことになっているんです」

面倒な、と思っていることを隠さずに、パーキンスは言った。

「後で水差しと盥《たらい》を運ばせよう。他には？」

海斗は首を振る。これ以上、心証を悪くしたくないので、お風呂《ふろ》に入りたいと言うのは止めにしておいた。

「では、私は失礼する」

「おやすみなさい、パーキンスさん」

「ああ、君も」

執事の後ろ姿が扉の向こうに消えていくのを見送って、海斗はベッドを振り向いた。生成りの綿シーツの表面を押すと、思いの外、弾力がある。たぶん、羊毛が入っているのだろう。客用の部屋だから、布団も上等なのだ。

「うーっ」

海斗はベッドの上に身を投げ出すと、思いきりノビをする。疲れた。いや、消耗してしまっていると言った方が正しい。だが、ようやく一息つけるという安堵《あんど》感もあった。

(ドレイクに突っ込まれたときは焦ったけど、上手《うま》く丸め込めて良かったあ……)

自分は占い師だなどという口から出任せを思いついたのは、実はドレイクの発言からだった。スペイン人は彼が悪魔と契約して、全てを見通す魔法の鏡を手に入れたと噂《うわさ》しているという。ならば、イングランド人だって、そうした俗信を信じるかもしれないと思ったのだ。旧約聖書の時代から預言者達は尊ばれ、そして恐れられてきた。不確かな将来を知ることができたら、というのは、いつの時代も共通した願いだ。もし、自分が未来を見通す力の持ち主だということが判れば、ドレイクもジェフリーも粗末には扱うまいという海斗の思惑は、見事に当たったわけである。

(予言ねぇ……俺が知っていることを話せばいいんだから、ちょろいもんさ)

海斗はニンマリする。南西部に旅行に来る前に海賊達の歴史を調べてきて、本当に良かった。後は、もっと芝居気を出して、予言者らしく振る舞うことだ。もっとも、わざわざ地球儀に歩み寄って、厳かにカディスを指差すというのは、かなり劇的だったが。

（それと、個人的なことは、あまり答えないようにすること。レディ・ドレイクみたいに質問責めにされたらたまらないし、それこそ適当なことしか言えない。俺が『見る』のはフォックス先生に教えてもらったことと、図書室で調べたことだけにしよう）

そうすれば、歴史を変えることにはならないだろうと、海斗は思った。いわゆる『タイムスリップ』をした人間が避けて通れない問題の一つは、自分の行動によって未来が変わってしまうかもしれないということだ。しかも、恐ろしい方向に。例えば、海斗の口からジパングの場所を知ったイングランド人が、日本を侵略して、植民地にしてしまうというようなものだ。

「そうなったら、日本人は混血化が進んで、イングランド人みたいに背とか鼻とかが高くなっていたかもな」

海斗は呟《つぶや》き、苦笑いを浮かべた。そうなれば、今の海斗は存在しなくなってしまう。以前、彼が想像したように、似ているようで、まったく別の世界ができあがってしまうのだ。海斗もそれだけは避けたかった。

（どうにかして二十一世紀に戻ることができたとしても、そこは俺の知らない場所になってるなんて怖すぎる）

だから、言動には注意しなければならなかった。口を開く前に、よくよく考えること。それが災いのもとになっては困る。予言者の人生も危険と隣り合わせだ。人間は自分に不利な発言を信じたがらない。ときには、真実を口にした人間を憎みさえする。ギリシア神話に出てくるラオコーンやカッサンドラのように、神の呪《のろ》いを受けて身を滅ぼした予言者達は、所々の事情はあっても、本当のところは人間にしては能力が高すぎると、神の嫉妬《しっと》を買ったのではないだろうかと、海斗は思った。

(ビセンテは俺を連れていこうとしたけど、そうならなくて良かったな。スペインに行ってたら、俺はカッサンドラだ。何を言っても、信じてもらえない)

その点、イングランドは海斗を歓迎してくれる。彼が幸運を告げる使者だからだ。ドレイクもそうだが、イングランドの勝利を告げたとき、ジェフリーは本当に嬉《うれ》しそうな表情を浮かべた。ただでさえハンサムな顔がさらに輝いて、眩《まぶ》しさすら覚えたものだ。

(美貌《びぼう》の若き船長か……まったく、天は二物を与えまくってるぜ。わざわざドレイクが呼びつけて、航海についての相談を持ちかけるぐらいだから、船乗りとしても一流なんだろうし)

だが、それにしては歴史に名前が残らなかったなと、海斗は疑問に思った。ドレイク配下の船長で、正体が判っている人間は多い。無敵艦隊《アルマダ》との戦いでも、主要な役割を持つメンバーはその持ち船の名と共に記録されている。それなのに、海斗は『ジェフリー・ロックフォード』という名を聞いたことも、見たこともなかった。それは何を意味しているのだろうか。

（アルマダ来襲の前にいなくなっていた……とか？）

いくら優秀な船長でも、避けられない事態というものがある。例えば、嵐《あらし》。例えば、病気。海斗はゾッとした。もし、航海の最中にジェフリーが死に、船が沈没するようなことにでもなったら、海斗の命もそこでジ・エンドではないか。

（な、なんとか、長生きしてもらわなきゃ……）

もはや、彼らは一蓮托生《いちれんたくしょう》である。天災を避けることは不可能だが、それ以外でジェフリーを危険から遠ざけることなら何でもしようと、海斗は思った。

「やっぱり、一難去って、また一難だな」

この世界にいる限り、心の底から安心することなどできない。海斗は溜め息と共に、それを認めた。

「……考え込んでても、どうにもならないし、おしっこでもして寝よ」

海斗は慣れないチェンバー・ポットで苦心の末に用を足すと、うんざりしたように天を仰いだ。一体、どこで手を洗えばいいのか。たぶん、この世界の人間は洗わないで済ますのだろうが、海斗はそんなこと我慢できなかった。エリザベス朝の衛生観念には、本当にうんざりさせられる。これでは、悪疫で死んでも仕方ない。

「くそ、水差し、早く来ないかな？」

手をぶらぶらさせながら、海斗はボヤく。すると、扉の外から、ジェフリーの声がした。

「カイト、入ってもいいか？」

「どうぞ」

「両手が塞《ふさ》がっているので、扉を開けてくれ」

「はーい」

海斗は不承不承、部屋の入口に向かう。

扉を開けると、そこに水差しの入った盥を持ったジェフリーが立っていた。

「そこで下働きの娘から預かってきたよ。女王様のように毎朝、顔を洗いたいんだって？」

「夜もです」

海斗は待ち望んでいた品を受け取ると、早速それを箪笥《たんす》の上に置いた。そして、こぼさないように盥に水を注ぐと、そこに手を浸す。凍るように冷たかったが、汚れを清められることができるのは快い。これで石鹸《せっけん》があれば言うことなしだ。もっとも、それが普及するまでには、あと二百年ほど待たなければならない。海斗は盥を持って窓に歩み寄ると、中身を外にあけて、再び箪笥の所に戻ってきた。そして、今度こそ、顔を洗う。

「生き返ったようだな」

水気を拭《ぬぐ》うものがないので、掌《てのひら》で雫《しずく》を切って顔を上げた海斗に、ジェフリーが呆《あき》れたように言う。

「船の上でも洗うつもりか？」

「だめですか？」

「飲み水すら欠乏するときがあるのに、おまえだけにそんな無駄を許せば、他の船員が黙っていないだろう」

「そうでしょうね……」

海斗は意気消沈した。

「だが、おまえが割り当てられた酒を俺に寄越すというのなら、俺の水を分けてやってもいいぞ」

ジェフリーの申し出に、海斗はパッと顔を上げる。

「それでいいです！　そうして下さい」

「おかしなヤツだ。そんなに身だしなみが大事か」

いい機会だから、海斗は思うところを言っておくことにした。

「身だしなみというより、清潔さが大事なんです。食事の前はきちんと手を洗う。口に入れるのは綺麗な水だけにする。吹出物がでないように顔を洗う。事情が許せば入浴も。そうしてきたおかげで、俺は航海中、健康でいられたんです。キャプテンも病気にかかりたくなかったら、そうした方がいいですよ」

「ふむ、おまえは医者のようなことを言うな」

「これぐらい、ジパングでは常識です」

少なくとも、この時代、日本のサムライ達はヨーロッパのナイトよりも清潔だったはずだ。徳川家康《とくがわいえやす》は湯殿で愛人を作ったそうだし、武田信玄《たけだしんげん》は温泉が大好きだったという話を、海斗は聞いたことがある。

「俺はともかく、事情が許す限り、おまえは好きにすればいい」

ジェフリーは顎の左側を撫《な》でながら言った。

「おまえを失う訳にはいかないからな。この先、おまえがくしゃみをするたびに、俺は不安にかられるんだろうよ」

海斗は悪戯《いたずら》っぽく笑った。

「サー・フランシスに殺されると思って？」

「祖国を思ってだ」

ジェフリーは乾いた手で、まだ水滴の残る海斗の頬《ほお》を拭う。真剣な表情だった。

「なぜ、そこに生まれたからというだけで、こんなに愛《いと》しく思うのか。しかと理由は判らない。俺は陸の上では暮らせない男だ。それでいて、遥かな海で想うのはイングランドのことばかり。たぶん、自分には戻れる場所があると信じているからこそ、危険な航海に出ていくことができるのかもしれない。俺にとっては、信じるに足る唯一のもの――それをスペインの奴らに踏み躙《にじ》られ、消滅させられるのは我慢ならない」

「判りますよ」

海斗は心から言った。

外国暮らしをすればするほど、自分の中に流れている血を思い知らされる。だから、日本語も忘れないように、和哉と練習していた。本当はもう英語の方が得意なのに。そう思うと、海斗は胸が痛んだ。愛国心は理屈ではない。それは魂に刻印されているものなのだろう。

「おまえもジパングに帰りたいだろうな」

ジェフリーが言った。

「ウォード殿にはもう戻ることはないだろうと言ったが、我が国から危機が去ったあかつきには、俺が何としてでも送り届けてやる」

「本当に？」

海斗は投げ遣《なや》りに聞いた。気持ちはありがたいが、戻りたいのはジパングではない。二十一世紀のプリマスはホーの丘だ。ジェフリーならばジパングには行ってくれるかもしれないが、時空の壁を越えることはできない。

「ああ。俺は決して誉められた人間ではないが、約束は守る男だと言われている」

「たぶん、そうなんでしょうね」

ジェフリーは微笑《ほほえ》んだ。

「疑っているな？　俺も簡単だとは思っていない。だが、ポルトガル人やスペイン人が辿《たど》り着いたのなら、俺に行けないはずがないだろう。あいつらが先んじたのは、たまたま運が良かっただけに過ぎない」

相変わらず、凄《すご》い自信だ。海斗は苦笑まじりに言った。

「楽しみにしてますよ」

「そうだ。俺もおまえの国を訪ねる日を夢見ていよう」

ジェフリーは海斗の背を押して、ベッドの方に促した。

「だから、おまえも風邪などを引いて、俺をやきもきさせてくれるな」

「アイ・サー」

この優しさは本物だ。靴を脱ぎ、窮屈なダブレットのボタンを外しながら、海斗は思った。少なくとも、今のジェフリーには日本を侵略してやろうなどという下心は見えない。彼は自分がイングランドを愛するように、海斗も祖国のことを恋しがっていると思って、そんな約束をしたのだ。

「おまえにも約束してもらいたいことがある」

ベッドに潜り込んだ海斗に、ジェフリーが言った。

「なんですか？」

「おまえが稀代の占い師だということは、ドレイク閣下と私の胸だけに収めておく。だから、おまえもグローリア号の連中には内緒にしてくれ。彼らの前では、あくまで俺のキャビン・ボーイだ」

「いいですよ」

海斗は快諾する。願ってもないことだ。ただし、

「皆の手前、床に寝るのも仕方ないけど、敷き布団ぐらいは用意してくれますか？　それと、着替えも何着か欲しいんですけど。できれば、ラベンダーの小袋付きがいいな。あれ、本当にいい匂《にお》いだったから」

ジェフリーは苦虫を噛《か》み潰《つぶ》したような顔になる。

「甘い顔を見せた途端、このつけ上がりようはどうだ？」

海斗は上目遣いで彼を見つめた。

「だって、俺が病気になったら、キャプテンが困るんでしょう？」

「質《たち》の悪い小僧だ。くそ、今から作っている暇はないから、俺の服の中から幾つか選んでやる。ラベンダーでも何でも、欲しいだけ買え」

「わーい」

海斗は内心、ほくそ笑む。この調子なら、どんな我《わ》儘《まま》も聞いてもらえそうだ。自分を人質にして、ジェフリーを脅すのも面白かった。ジェフリーは絶対に海斗を傷つけることはできないし、どんなものからも守ってくれるだろう。あの、うるさいナイジェルからも。

「それで、いつ、出航することに決まったんですか？」

海斗の問いに、ジェフリーは仏頂面のまま答えた。

「港に戻り次第だ」

「は？」

「ウォルシンガム閣下は、すぐにまたウォード殿をプリマスに派遣するかもしれない。だから、その前に姿をくらましておいた方がいいということになった。ドレイク閣下がやってくるまで、その辺をうろついているスペイン船を襲い、軍資金稼ぎなぞをして、暇潰しをしていろということだ」

まだ、心の準備ができていなかった海斗は焦った。

「そ、それは急な話ですね。計画が狂いませんか？」

「仕方ない。おまえが来たのが予定外だからな」

ジェフリーは海斗を見下ろして、微笑んだ。

「怖くなったか？」

「べ、べ、べつに」

「無理をするな」

ジェフリーは海斗の頭を撫でた。

「怖くない方が不思議だ。おまえは海賊に襲撃されたんだからな。だが、船に乗っている限り、その危険を避けることはできない。やるか、やられるかの世界なんだ。グローリア号だってスペインの商船を襲っている最中に、スペインの軍艦に蹴散《けち》らされたことがある。あのときは、もうダメだと冷汗をかいた」

「キャプテンでも?」

「ああ。俺の心も石でできている訳ではない」

ふと、ジェフリーの瞳《ひとみ》が曇る。

「だが、おまえの心は絹のように悲鳴を上げて、引き裂かれてしまいそうだ。少し自信をつけさせる必要がある」

「自信?」

ロクでもないことではありませんようにと、海斗は祈った。

「いざというとき、敵に立ち向かえる気概を養うために剣の稽古《けいこ》をするんだ」

「嫌です。そんな野蛮な……」

「何も、誰かを殺せと言っている訳じゃない」

「だ、だって、怪我《けが》でもしたら、どうするんです?」

「避け方も教えてやるから安心しろ。とにかく、剣を使うことができれば、それだけ生きのびる確率が高くなる。自分のためだと思って、頑張れ」

ジェフリーは海斗の顔を覗《のぞ》き込んだ。

「生きてジパングに帰りたいだろう、ん?」

「……やってみます」

海斗は渋々頷《うなず》いた。確かに丸腰でいるよりは、武器を持っていた方が心強い。持っているからには、使い方を身につけた方がいいのは自明の理だ。祈りも虚《むな》しく、ジェフリーの申し出はロクでもないことだったが、生きのびるためには、彼の言葉に従うより他はないのだろう。

「よし。では、おやすみ」

ジェフリーが背を伸ばしたので、海斗はそれにつられたように、ベッドの上に起き上がる。

「なんだ?」

ジェフリーが眉を寄せた。

海斗は自分でも訳が判らなかった。ただ、ジェフリーが去っていくと思った途端、急に不安になってしまったのだ。一人になるのが怖かった。こちらの世界に来てからは、なんだかんだと周りに人がいたので、本当に独りぼっちになるのは今夜が初めてだ。それまで感じなかった寒さが身に迫って、海斗はブルッと大きく震えた。

「おいおい、止めてくれ。風邪を引きそうだというんじゃないだろうな?」

ジェフリーは再び海斗を横たわらせると、毛布と掛け布団を引っ張り上げた。

「もう一枚、毛布を持ってきてやろうか?」

肩口に冷たい空気が忍び込まないように押さえる手の暖かさ——海斗はそれを失いたくなくて、思わず頬を擦りつけた。

その行為に気づいて、ジェフリーが手を止める。

「おまえ……」

言う前から後悔していたが、海斗は口を開いた。

「一人じゃ、眠れない……」

ジェフリーが片方の眉を上げたので、海斗は赤面する。

「きょ、今日だけです。今夜だけ、ここにいて下さい。こんなこと言うのは恥ずかしいし、ガキじゃあるまいしって思われるのも判ってますけど、心細いんです」

「色気抜きでか？」

海斗は頷く。

「俺がそんなことを承知するとでも？」

「よく眠れなかったら、明日は具合が悪くなるかも。で、そのまま船に乗ったら、さらに気分が悪くなって……」

「ああ、みなまで言うな」

ジェフリーはうんざりしたように髪を掻《か》き上げた。

「とんだ性悪だ。どれだけ、俺の我慢を試したら気が済む？」

「そ、そんなつもりはないんですけど……」

いや、本当はそれが目的なのかもしれないと、海斗も思った。どれだけ、ジェフリーが自分を思ってくれているかを確かめるために、こんなことを言い出したのかもしれない。その瞬間、海斗はジェフリーに頼りきっている自分を発見した。そんな風になるまい、なってはいけないと思っていたが、気がつけばこのザマだ。自分は本当に意気地のない男だと、海斗は恥じ入ったが、ここで意地を張って、ジェフリーの手を拒むこともできない。海斗は決して自分を傷つけない人間がいるということを実感したかったのだ。

「判ったよ、甘えん坊め」

ジェフリーは溜め息をつき、海斗の頬を軽く叩《たた》いた。

「ある意味、新鮮だったぜ。俺に添い寝をしてくれなんて言ったヤツは、おまえが初めてだ。そら、そっちに寄れ」

海斗はホッとして身体をずらす。そして、隣に潜り込んでくる大柄な青年を見つめた。

「服は脱がないんですか？」

「着ていた方がいいだろう。寝呆《ねぼ》けて、おまえを犯そうとするかもしれないからな」

ゾッとしたような表情を浮かべた海斗に、ジェフリーは微笑みかけた。

「冗談だよ。シリルにも無駄玉は使うなと言われているから、ちょうどいい」

「シリルって？」

「水車小屋の女の子だ」

海斗はジェフリーを睨《にら》んだ。

「恋人がいるのに、俺に迫ったんですか？」

「馬鹿だな。あんなのは『迫った』とは言わないんだよ」

ジェフリーは海斗の唇を人差し指で押さえた。

「だが、おまえは本気で迫られたら困るんだろう?」

「ん……」

「だったら、黙って、おやすみ」

海斗はジェフリーを見上げた。

「ほら、目もつぶって」

ジェフリーは海斗の額に口づける。反射的に、海斗はぎゅっと瞼《まぶた》を閉じた。ジェフリーは唇を離すと、海斗の隣に寝転んだ。そっと首を傾け、うっすらと目を開けてみると、黄金色の波が広がっているのが見えた。ジェフリーはそれきり何もせずに、ただ身体の温《ぬく》もりだけを分け与えてくれる。海斗の望む通りに。

「ありがとう、サー……」

海斗は呟き、もう一度、瞼を閉じた。心穏やかに、眠りの路を辿るために。

9

結局、全ての準備を終えて――というか、無理矢理終わらせて――グローリア号が船出をしたのは、バックランド・アビィから帰った翌日だった。

「まだ、水を充分に積んでない！　なんで、そんな話になるんだ？　あんた、ちゃんと抗議してくれたのか？」

当然、ナイジェルの機嫌はよろしくなく、ジェフリーは宥《なだ》めるのに苦労していた。

「もちろんだ。だが、サー・フランシスは思い立ったら、決して後に引かない人間だってことは、おまえも知っているだろう。閣下のお望みはスペイン艦隊の注意をプリマスから引き離すこと。それができるのは、大胆な行動力を持ち、神出鬼没の素早さを持つ俺しかいないとおっしゃるんだ。これは期待に応えて、せいぜいハデに暴れるしかないじゃないか」

「そんな見え透いたお世辞に言い包《くる》められて、貧乏くじを引かされたんですね」

ナイジェルは溜め息をつくと、ジェフリーの背後に控える海斗《かいと》を見た。

「サー・フランシスは、こいつのこと、何て言っていました？」

「カイトに同情して、俺の息子と思うことにするそうだ」

「だったら、ご自分の船に引き取って下さったらよろしいのに」

「カイトが嫌がったんだ。知らない人のところに行くのは嫌だと」

ジェフリーは微笑む。

「これで彼がサー・フランシスを殺すためにやってきた人間ではないことは証明されたな」

「一度は見過ごして、油断させる作戦かも」

「おまえも執念深いヤツだな」

「何とでも。俺は自分の心に従うまでだ」

ナイジェルは海斗から視線を逸らすと、ジェフリーを見つめた。例のごとく、灰青色の瞳を輝かせて。文句を言って、多少は鬱憤が晴れたのだろう。そうなれば、ナイジェルも海の男だ。航海への期待を隠し続けることはできない。

「……いつでも出航できる。後はあんたが号令をかけるだけだ」

「判った。ありがとう」

ジェフリーは颯爽《さっそう》と歩きだした。ナイジェルが彼に続き、その後を海斗が追いかける。

「ううっ」

海上を吹き抜ける冷たい風に首を竦《すく》めると、マーシーがダブレットの内側に縫いつけてくれたラベンダーの薫りが鼻先を擽《くすぐ》った。そう、ジェフリーは約束を守ってくれたのだ。彼の仕立屋は、航海から帰ったら服を新調することを条件に、あれこれとハーブを譲ってくれた。

「元気で戻ってきてくれなきゃ、こちとら商売あがったりですからね！」

そう言いながら。海斗はそっと微笑みを浮かべた。丘の上でも、ジェフリーは大層な人気だ。それはシリルという少年の愁嘆場を見れば、よく判る。水車小屋の乙女は、何と女役を務める役者だった。この時代、女優は風紀を乱すという理由で舞台に立つことを許されていなかったのである。歌舞伎と事情は同じだ。

「無事に帰ってきてね、船長さん」

大きな瞳に涙を浮かべて、シリルはジェフリーに抱きついた。

「おまえも元気でな」

「うん。ところで、それがホーの丘に倒れてた子？」

シリルは嫉妬していることを隠さずに、海斗を見つめた。

「変わった趣だけど、よく見れば可愛い……かも」

「おまえにはかなわんさ」

「それは当然でしょ。でも、ムサ苦しい男達の中にいれば、ちょっと目立つかも。ああ、手近な野草に気を取られて、遠くの薔薇《ばら》を忘れるようなことだけはしないで」

『手近な野草』呼ばわりされた海斗は憮然とした。確かに、女役をこなしているだけあって、シリルは誰もが目を奪われるような美少年だったが。ジェフリーと並んでいる姿などは、まさに一幅の絵のようだ。しかし、性格の方は、自ら薔薇を名乗るだけあって刺《とげ》だらけだった。

(ふん、ジェフリーはおまえと寝てても、いざとなったら絶対に俺の方を選ぶんだからな)

海斗は胸の中で呟いて、溜飲《りゅういん》を下げた。

「集まれーっ！」

声に続いて、ピーッと笛が鳴る音がした。船長の姿を確かめたルーファスが集合をかけると、アッという間に甲板の上は船員達で埋め尽くされる。

ジェフリーが彼らの前に進み出た。

「諸君、予定を早めて、本日出航することになった。いつものように実りある航海になるかどうかは、これからの諸君の働きにかかっている。大いに活躍を期待しているぞ」

おおーっという雄叫《おたけ》びが上がって、海斗はあまりの喧《やかま》しさに耳を塞ぎたくなる。

「目的地は外海に出た時点で発表する。では、碇《いかり》を上げろ！」

ナイジェルが叫んだ。

「女王陛下と我が船に神のご加護を！」

男達も口々に神の執り成しを願う言葉を喚《わめ》く。

「さあ、働け、野郎ども！」

その合間をぬってルーファスが命じると、彼らは素早く自分の持ち場に散っていった。

ナイジェルが船尾に向かう。

「いい風だ」

ジェフリーは海斗の肩を抱いて、真ん中のマスト――メイン・マストの下に立つ。海斗は頭を抱えて、赤い髪が目の中や口の中に飛び込んでくるのを防いだ。まるで、ランズ・エンドにいたときのようだった。だが、今度は海を見下ろしているだけではない。その海に乗り出していくのだ。

「ハリヤードにつけ！」

ジェフリーが叫ぶ。

「シートとブレイスを引け」

ルーファスが部下に命令を伝えると、風を孕《はら》んで帆が膨らんだ。

「旋回ーっ」

ゆっくりと船が方向を変える。港の外へ。

ジェフリーは朗々たる声で、歌うように命令を下し続ける。

「ジブを張れ！　風を生かすんだ。フォア・トップスル。ナイジェル、ミズンも広げさせろ」

「アイ・サー！」

グローリア号が滑りだす。海斗は船縁に駆け寄った。ザザッと船腹を波が洗う音がする。跳ね上がった飛沫《しぶき》が頬を濡《ぬ》らす。もう、後戻りはできない。ついに、海斗は冒険の旅に出たのだ。頭上を見上げると、浅春にしては明るい空に白い帆が映えていた。まるで大きなカモメのようだ。グローリア号はその翼で海斗を水平線の向こうまで連れていってくれるだろう。そして、水平線の向こうには何があるのだろうか。

(イングランド海賊達が活躍する世界だ)

信じられない思いに、海斗は小さく首を振った。それを見てみたいという夢が叶《かな》うのだ。

(やっぱり怖いし、不安がないといえば嘘《うそ》になる。でも、来てしまったからには、やっぱり、この目で全てを見てみたい)

海斗は航海長に命令を下しているジェフリーを振り返り、微笑んだ。そう、何があっても、彼と一緒ならば大丈夫だろう。ジェフリーは海斗を守ってくれる。その命に代えても。

「和哉《かずや》……何とか、こっちで頑張ってみるよ」

彼を恋しく思う気持ちは、まだ海斗の胸を締めつけていた。その痛みが消えることはないだろう。海斗は和哉にも自分のことを忘れないでいて欲しかった。自分がいた世界と完全に縁が切れてしまうなんて、耐えられない。

「いつか……いつか、そっちに戻ることができたら、俺の見てきたものを全て話してやるよ。きっと、おまえは目を丸くするだろうな」

その日が来ることを祈るばかりだ。海斗は唇を嚙み締めると、ジェフリーの傍に駆け寄った。

「もう追っ手が来ても大丈夫ですね、サー」

ジェフリーが白い歯を見せた。

「そうだ。これでウォルシンガム閣下の俺に対する覚えは悪くなるだろうがな。まあ、獲物を持って帰れば、少しは機嫌が良くなるさ」

彼は海斗の髪を掻き乱した。

「さあ、キャビン・ボーイ、おまえも持ち場につけ。俺の部屋の床を鏡のように磨きたてろ。何といっても、おまえはそこに寝るんだからな」

「アイ・アイ・サー」

海斗はデッキを駆け出した。だが、浮かれる心のままに口笛を吹くと、途端にルーファスの怒声が降ってくる。

「止めろ！　悪魔を呼ぶつもりか？」

海斗はハッとする。船乗り達は船上で口笛を吹くことを嫌う。それは悪魔を引きつけ、嵐を呼ぶと考えられているからだ。

「す、すみません。もうしません」

「当たり前だ。もし、今度こんなことをやったら、たとえガキでもぶん殴ってやるぞ」

ルーファスはそう言い残すと、忙しそうにどこかへ走っていった。

海斗は彼を見送って、肩を竦める。本当に、この時代の人間は迷信に捉《とら》われていると思いながら。

サンティリャーナ侯爵と共に宮殿に上がるのは初めてだった。ビセンテは装飾というものを一切省いたエル・エスコリアル宮の壁を見上げる。そして、国王陛下に直接目どおりが叶うのもこれが最初だ。

(私にも運が向いてきた。これも『彼』のおかげだ)

長い廊下を通り、何人もの衛兵が侯爵と自分の名を呼び上げるのを聞きながら、ビセンテは思った。

隣を歩いていたサンティリャーナ侯爵が小声で告げる。

「陛下のお声がかかるまで、何も言うなよ」

「はい」

ビセンテは口元を緩める。その程度の礼儀は心得ていたが、言い返さないだけの見識もあった。この侯爵には、まだまだ世話にならねばならない。少しでも好意を損なうことは避けなければならなかった。

謁見の間が見えてくる。

秘書官が先触れの声を張り上げた。

「サンティリャーナ侯爵閣下、ビセンテ・デ・メンドーサ殿がお見えです！」

入口を潜ったビセンテは、遠くの玉座についた人影を見た途端、緊張に足が震えだした。

いる。フェリペ二世。峻厳《しゅんげん》で偉大なる大スペイン国王、その人だ。

侯爵とビセンテは立ち止まり、深々と礼を取った。

「ごきげんよう、陛下」

「うむ……」

フェリペは物憂げな声を上げげた。

「頼みを聞いてくれたようだな、侯爵。そこに連れているのが例の甥御《おいご》であろう?」

正確に言えば違うのだが、侯爵は説明する面倒を避けたらしい。

「御意。ビセンテと申します」

フェリペは頷いた。

「直答を許す、ビセンテとやら」

ビセンテは顔を上げて、王を見つめた。細面。下顎が突き出しているのはハプスブルグ家の特徴だ。血管の浮き上がった額は、王の癇性《かんしょう》を示している。

「そなたはイングランドで不思議な能力を持つ者に出会ったとか」

「はい。サンタ・クルズ侯爵閣下がお倒れになることを予言しました」

「余が聞きたいのは、その先だ。その者、余が新しい司令官を据えるとも言ったのだったな?」

「御意にございます」

「その新しい司令官とは？」

「メディナ・シドーニア公爵閣下です」

フェリペは玉座の背に寄りかかり、サンティリャーナ侯爵を見つめる。

「侯よ、余は間諜《かんちょう》には気をつけてきた。秘密に進めるべき事項は、ごくごく内輪の者にしか洩《も》らさずにきたつもりだったが、よもや占い師ごときにそれを暴かれるとは思わなかったぞ」

侯爵は驚いたように言った。

「では、メディナ・シドーニア公爵閣下を後釜《あとがま》に、という話は本当なのですか？」

「それしかあるまい。サンタ・クルズの上を行く身分の男は限られる」

フェリペはビセンテを振り返った。

「その者を連れ出せなかったのは、何とも惜しい。余がじかに問いただしたいものだ。なぜ、その秘密を余の心から盗むことができたのか」

ビセンテは頭を下げた。

「申し訳ありません。ですが、機会を頂けましたら、私が再びイングランドに戻りまして、彼を見つけだし、陛下のお膝元《ひざもと》に連れて参る所存です」

フェリペは目を細めた。

「できるか？　そなたはウォルシンガムに追われる身であろう？」

「困難は承知の上でございます。しかし、その者を見知っているのは私のみ。見つけだすことができるのも、私だけと存じますれば」

「うむ」

フェリペは目を閉じ、しばらく考えてから言った。

「許す。計画を整え、後日、余を訪ねよ。今日から、そなたの宮廷の出入りは自由とする」

ビセンテは興奮に瞳を輝かせた。

「は、ありがたき幸せ。必ずや、陛下のご期待に添いたいと存じます」

「期待しておる」

フェリペは玉座に肘《ひじ》をつき、指先で頬を支えながら聞いた。

「ところで、その者の名は?」

ビセンテは微笑む。その言葉を待っていたのだ。そして、彼は自分の恋人を紹介するかのように、誇らしげに告げた。

「カイト・トーゴー。陛下に勝利をもたらす、ジパングの少年でございます」

あとがき

こんにちは、あるいは、はじめまして。松岡《まつおか》なつきです。

さて、最近、私がよくする質問は、「あなたは海賊派？　それとも忍者派？」というもの。子供の頃、どちらに憧《あこが》れたかを知りたかったのですが、私の周りの人々は見事なまでに忍者派ばかりでした。曰《いわ》く、「忍びの者には美学がある」、「耐え難きを耐えて、任務のために命をかける姿にグッとくる」――確かに、それに異論はありません。私も『風神の門』とかを読んで、格好いいなあと思ったもの（もっとも、主人公の霧隠《きりがくれ》才蔵《さいぞう》はちっとも耐え忍んでいませんが。笑）。それでも、思い浮かべるだけで、私の心を波立たせるのは、やはり海賊の方なのです。

子供の頃、よく扁桃腺《へんとうせん》を腫《は》らしては高熱を出していた私は、空気がいいからという理由で、長いお休みになると必ず田舎に住む祖父母に預けられていました。近所には同じ年頃の子供はいなかったし、すっかり暇を持て余した私は、自然と本棚に手を伸ばすようになった訳です。ひと回り年上の従兄が読んでいた子供文学全集の中で、数えきれないほど読み返したのは三つの作品、『ロビンソン・クルーソー』、『十五少年漂流記』、そして『宝島』でした。

これらの物語に共通するキーワードは海、冒険、そして男ばっかり(爆笑)。たぶん、私は祖父母の家に引きこもっていることに飽き飽きしていて、刺激が欲しかったんでしょう。

三作の中でも一番のお気に入りは『宝島』です。なにしろ、惚《ほ》れた男がいましたからね。のっぽで片足の海賊ジョン・シルヴァー――まぎれもない悪者なのに、人を魅惑せずにはおかない話術と陽気な物腰を持ち、決して挫《くじ》けない根性を見せる彼に、私はメロメロ。

「おい、こっちに来な。来て、ジョンと話をしてくれよ。誰よりもおまえが来てくれるのが、一番嬉しいんでな」

彼にそう声をかけられたジムに、どれだけ嫉妬《しっと》したことかーっ(笑)!

そう。私が海賊達にロマンティックな夢を抱くようになったのは、スティーヴンソンのせいなのです。ジョン・シルヴァーからは自由の香りがしました。それに強く憧れる人間が、禁欲的な忍者よりも海賊を好むのは仕方がないことでしょう?


いつか、海賊達の世界、それも十六世紀の私掠船海賊を書いてみたいという念願が叶って、とても幸せ。でも、やはり、歴史物は考証関係が難しいですね。

例えば、ホーの丘でドレイクが楽しんでいたというボウリングは、ナインピンズと呼ばれているものなのか、それともローンボウルズと呼ばれているものなのかという疑問。

私の読んだ文献の中には『九柱戯』と書かれたものがあって、それならば間違いなくナインピンズでしょうが、十九世紀にシーモアが描いたドレイクの絵は、明らかにローンボウルズをしている姿なのです。ならばと複数の外国の文献にあたってもみたのですが、そこにあるのは単に『ｂｏｗｌｓ』の文字のみで、これにはどちらの意味もあるため、何の解決にもならなかった……(涙)。

結局、私はナインピンズ説を取り上げましたが、このように書き進むたびに調べなければならないことがでてきて、日々、溜め息をついております。締切がなければ、それもまた楽しいのですが。あ、参考資料については、シリーズ最終巻に記載させて頂きますね。

前回の『ＷＩＬＤ　ＷＩＮＤ』に続いてイラストを担当して下さるのは、雪舟薫《ゆきふなかおる》さんです。悶絶《もんぜつ》しそうに格好いいジェフリーと、ほっぺを突きたいほどキュートな海斗をありがとうございます！　表紙を拝見した瞬間、「生きてて良かった！」と思いました。剣の柄一つとっても、なんて素晴らしい……。本当にホーズとダブレットとか、帆船とか、描くのが面倒な物ばかりが満ち溢《あふ》れる時代を選んでしまって申し訳ありませんが、今後ともよろしくお願い致します。

担当の山田さんにもお世話になります。打ち合わせでこのシリーズの原案を話してから、こうして書き出すまでに二年以上の月日が過ぎてしまいましたが、辛抱強く待っていて下さって、本当にありがとう。その分、楽しい話にしたいと思います。

最後になってしまいましたが、読者の皆様に心からの感謝を捧げます。ジェフリーと海斗を可愛がってやって下さい。そして、悪者にされてしまったビセンテや小姑のようなナイジェルも（笑）。あるいは、海斗と同じく、独りぼっちになってしまった和哉のことも。

それでは、また二巻でお会いできることを楽しみにしています。

セール・ホー！

松岡なつき

●松岡なつきのオフィシャルサイト『ザ・ローリング・サンダー・スペシャル』
http://Lightning99.tripod.co.jp

この本を読んでのご意見、ご感想を編集部までお寄せください。

《あて先》〒141－8202　東京都品川区上大崎3－1－1　徳間書店　キャラ編集部気付
「FLESH&BLOOD①」係

■初出一覧
FLESH&BLOOD①……書き下ろし

FLESH&BLOOD①……【キャラ文庫】

2001年7月31日 初刷
2020年8月10日 15刷

著者 松岡なつき
発行者 松下俊也
発行所 株式会社徳間書店
〒141-8202 東京都品川区上大崎3-1-1
電話049-293-5521(販売部)
03-5403-4348(編集部)
振替00140-0-44392

印刷・製本 図書印刷株式会社
カバー・口絵 真生印刷株式会社
デザイン 海老原秀幸

ISBN978-4-19-900192-5

好評発売中

松岡なつきの本【センターコート】全3巻

イラスト◆須賀邦彦

今日から君がパートナーだ――一流テニスプレイヤー・ブライアンのコーチから、突然ダブルスの相手に指名された智之《ともゆき》。けれど喜びも束の間、密かに憧れていたブライアンは、新人の智之にひどく冷たい。コートでは実力の差を思い知らされ、落ち込む智之に、ブライアンはさらに嫌がらせのようなキスを仕掛けてきて…!?　恋とプライドをテニスに賭けた、サクセス・ロマン!!

キャラ文庫最新刊

囚われた欲望
鹿住 槇
イラスト◆椎名咲月

事故死したクラスメートの弟に「お前のせいだ」と責められる誠《まこと》。代償に身体を求められ、抱かれるが…。

その指だけが知っている
神奈木智
イラスト◆小田切ほたる

お揃いの指輪がきっかけで学園のアイドル・架月《かづき》と知り合う渉《わたる》。優しいと噂の架月だけど、渉には意地悪で？

ナイトメア・ハンター
佐々木禎子
イラスト◆にゃおんたつね

屍死鬼《グール》に母を殺された、高校生の美樹《みき》。潜在能力を買われ、超常現象研究員・上田《うえだ》と屍死鬼退治を始めるが…。

FLESH《フレッシュ》 & BLOOD《ブラッド》①
松岡なつき
イラスト◆雪舟 薫

高校生の海斗《かいと》はタイム・スリップで大航海時代へ！　そこでイギリスとスペインの争いに巻き込まれ…!?

お気に召すまで
水無月さらら
イラスト◆北畠あけの

職場では上司の久我山《くがやま》に苛められっぱなしの慎也《しんや》。でもプライベートだと、二人の立場は大逆転して♡

8月新刊のお知らせ

- ［恋のオプショナル・ツアー］／池戸裕子
- ［フレーム・フレーバー（仮）］／染井吉乃
- ［ホワイト・ローズ（仮）］／火崎 勇

8月25日（土）発売予定

お楽しみに♡